價值人生　典範傳承

目錄

自序

創業是否是一條不得不走的“不歸路”？還是一條能引領我們走向幸福的香榭大道？回想起 20 年前我研究所剛畢業當時，不顧父母的反對，不願進入當時大家所謂的鐵飯碗 - 公務人員，而是順著心中燃起的高昂鬥志，揹著文青的標誌，一股想要創業的意念，讓我奮不顧身地投入到創業領域。回首來時路，這一投入到現在，已經超過 20 年。創業的酸甜苦辣，如人飲水冷暖自知。如果你問我再重來一次，我是否還會選擇創業這條路？我肯定會說「是」，但心裡仍會隱隱作痛地回想起創業一路走來披荊斬棘，傷痕累累的痛苦回憶。還有躲在棉被裡哭的日子，不是想家也不是想媽媽，而是壓力太大，不知如何宣洩的莫名恐懼。

創業到底有什麼魔力？會讓人即使知道可能要面臨重重的難關，卻仍然前仆後繼像飛蛾撲火般地投入。如果你想要穩定的收入，千萬不要創業；如果你想要規律的生活，千萬不要創業；如果你想要千篇一律，千萬不要創業；如果你想要平凡的人生，千萬不要創業。說到底，想創業的人，不外乎想發財、想過過老闆癮、想有些不同的生活，或是更高尚的，總能編出一套偉大夢想的說詞。

所以如果創業的起心動念不夠強大甚至不夠堅強，到最後回到創業前起點的機率很高，甚至因為創業過程中所帶來的傷害，可能還因此背負龐大的債務或是欠下一堆人情債。根據經濟部中小企業處創業諮詢服務中心統計，新投入的創業者有 90% 的機率會在 1 年內倒閉；其餘的 10% 即使存活下來，又有高達 90% 的機率會在 5 年內倒閉。走過創業天堂路，到最後可以撐過 5 年的創業家只有 1%。高達 99% 的機率，創業者會在 5 年內消失不見。所以能撐過 5 年的創業家，值得我們掌聲鼓勵。這些創業家更因為經歷過大大小小的戰役，也因為已經具備方方面面的經營技巧與專業知識，這時候說是創業 CEO，一點也不為過。

創業 CEO 中最讓我欣賞的非美國汽車業傳奇人物艾科卡（Lee Iacocca）莫屬，雖然他已經在 2019 年 7 月 2 日辭世，享壽 94 歲。但他一手主導，讓克萊斯勒度過難關的偉大故事，仍然值得稱頌。1978 年，艾科卡從福特轉戰當時已經瀕臨破產的克萊斯勒。只領 1 元的年薪，卻能在短短 6 年內，讓克萊斯勒汽車從破產邊緣鹹魚翻身，起死回生。人生的大起大落，把艾科卡的創富 CEO 特質反映地淋漓盡致，艾科卡說：「即使遭逢困境，仍該奮勇向前；即使世界分崩離析，也不要氣餒。天下沒有白吃的午餐，辛勤工作終必有心得。是這些信仰造就了偉大。」

2007 年高寶出版艾科卡的著作“領導人都到哪裡去了”一書當中，就提到領導的 9 個 C。他觀察各國總統、三任教宗，以及幾 10 個大企業 CEO，歸納出領導者的九個 C 特質：包含了好奇心 curiosity、創意 creativity、溝通能力 communicate、品格 character、勇氣 courage、信念 conviction、魅力 charisma、能力 competence、常識 common sense。

這 9 個 C 特質讓我最有感受的無非就是創意、溝通能力、勇氣、信念、能力，如果沒有過人的勇氣，誰膽敢踏上創業這條路？一旦踏上了，如果沒有無比堅強的信念，排山倒海而來的挫折，基本上已經可以把這條創業小船給淹沒了；如果沒有創意，如何不斷地在創業過程中，與這群如狼似虎的創業家競爭，並取得一席之地；如果沒有溝通能力，要錢的時候需要跟銀行溝通，要業績的時候要跟客戶溝通，要達成任務的時候要跟團隊溝通，等到企業成長茁壯了還要跟股東溝通，所有的環節都需要靠溝通能力來連結；最後能力這個特質，當然是一個創富 CEO 要具備的，就算能力不夠，也應該隨著創業的過程成長。

牛頓曾經說過：「給我一個支點，我就能舉起整個宇宙；而我就是這個支點。」或許我們無法足夠狂妄地如牛頓一般講出這樣的話，畢竟他的才能無人能反駁。但我們還是能夠做到站在巨人的肩膀上看世界，而本書就是希望把書中創富 CEO 們的成功心法，分享給大家，讓各位讀者未來也能成為一位值得稱頌的創富 CEO。

謝晨彥博士

創富必學的財報課

學好財報知識 打好創業根基

如果把創業比喻成花圃的打造，財報的學習就像是創業的土壤，那資金就是創業的養分，法律就像是創業的保護傘，行銷就是創業的花粉傳播蜜蜂。

財務報表是初期投入創業的朋友們，最容易忽略的一環，而這個環節卻是未來事業成長最重要的基石。財務報表的學習並不需要一開始就往高難度的四大報表鑽研。循序漸進，創業初期可以先搞懂損益表，至少能夠釐清每個月營運的狀況，包含營收、成本支出，以及各項費用的數字呈現，算出實際每個月的獲利或損失情況，才能掌握公司生存與否的脈絡。

要看懂財務報表並不難，反而學會解讀數據以及如何優化數據，才是每位創業者在閱讀財報後必須要精進的能力。財務報表不難看懂，但是閱讀後如何把數字和實務運作相結合，並依據財報的數據反映的問題，想出解決之道，這是需要創業者持續累積經驗來優化。

看懂公司損益 打通經營血路

損益表能夠讓我們了解一段時間內公司的損益，賺多少錢或賠多少錢，這是身為一個創業主必須要關心的問題。很多創業主因為不是財務出身，因此不願意花時間閱讀財務報表，總認為只要把業績做大了或是把訂單簽回來了，公司就能賺錢了。

但卻忽略了營運初期的諸多花費，不論是廣告行銷、辦公室的營運費用，或是員工的薪資，勞健保的支付，這些都是不斷在支出的項目，若是沒有注意到數字的變化，可能在業務部門還沒有喜訊之前，公司的營運資金就燒光了。

公司的損益等於收入減掉成本與費用，收入或是稱作營業額，是公司在一段時間內，通常是一個月，從提供服務或販售商品所賺取的金額。成本與費用分成營業成本和營業費用，營業成本是公司在生產商品過程中所用到的原料成本，因此服務業這個部分的支出相對少；企業在銷售或提供服務的過程中產生的費用，則叫做營業費用，包含員工薪資、辦公室的租金，以及水電等雜支。上述的數字呈現通通紀錄在損益表，其可以反映公司在某一會計期間（一般分成月季年），到底是賺錢獲利、收支平衡或是出現虧損。

實際案例分享 邊創業邊學習

假如一家咖啡店開業後想做一個損益表，詳細追蹤每月的經營情況，報表當中需要有以下這些項目：

銷售收入：銷售收入是過去的一個月內咖啡店的總營業額，不論是刷卡或現金都要計入總額當中。假如刷卡總額 30,000 元，加上現金收入 20,000 元，銷售收入總額 50,000 元。

銷售成本：包含所有咖啡豆、原物料、外帶杯，還有塑膠袋等等。銷售成本總計 15,000 元。銷售收入扣掉銷售成本的金額 35,000 元，就是**毛利**。把毛利除以銷售收入得出**毛利率**，毛利率是非常重要的數據，能夠讓我們了解一家公司的競爭力，毛利率越高代表這家公司的競爭力越強。

銷售收入 50,000 －銷售成本 15,000 ＝毛利 35,000。
毛利 35,000 ÷銷售收入 50,000 ＝毛利率 70%。

毛利扣掉管理費用、銷售費用、人事費用、研發費用、財務費用等等，剩下的就是**營業利益**。對於咖啡店來說，房租、水電費、員工薪資、網路廣告等等相加，就是營運費用，總計有 30,000 元。

毛利 35,000 減去各類費用 30,000 的差，因此是 5000 元；5000 元就是營業利益。剩下的這筆錢再扣除稅金，就是**稅後淨利**。所以有沒有賺錢不能只看每天收進來的現金，要真正透過損益表的計算過程，才能知道這家公司到底有沒有在盈利。

毛利 35,000 －營運費用 30,000 ＝營業利益 5,000。
營業利益 5,000 －稅金＝稅後淨利。

如果把不同公司的損益表放在一起，就能分辨出這些公司的差異。例如，毛利率逐漸走高的公司，說明它的產品供不應求，比較有充足的運算在行銷或是人事的雇用上。營業利益越高的公司，除了表示公司管理能力與預算掌控良好之外，也代表盈利能力越強。

當我們熟悉損益表之後，可以再進一步學習分析另外兩張表，資產負債表與現金流量表，相較於損益表解讀一家公司某一段期間的經營狀況，資產負債表能夠幫助我們瞭解公司的體質，也就是資產與負債；現金流量表則能夠看出公司資金的運用狀況，是否有足夠的活水來挹注公司的成長與茁壯，還是有可能變成一攤死水，面臨倒閉的危機。

創業者在創業的不同階段應該關注不同的報表，早期剛創業時多花時間留意損益表，當公司營運上了軌道，就要開始做良好的資產與負債的規劃，資產負債表是這個時期關注的重點。創業成功之後，開始往成長的軌跡前進，一定要掌握好現金流量，因為攸關公司長期營運的發展。

創富必學的行銷課

不想餓死就別用傳統方式行銷

再好的產品如果沒有透過管道曝光，也不會創造好業績。那口碑傳播呢？好產品建立好口碑，讓消費者口耳相傳，臉書 IG 分享，甚至透過網紅打卡介紹，本質上也都是行銷手法的一環。早期創業大家能想到的行銷曝光手法，不外乎就是請派報公司在人多的地方發傳單，或是將傳單夾在便利商店或大家訂閱的報紙當中，過去稱為夾報。但隨著網路媒體的興起，改變了大家的閱讀習慣，報紙出版都快變成夕陽工業，實體傳單的派發方式自然也過時了。

行銷研究的是消費者行為，行銷的目的是希望把產品訊息精準地送到消費者面前，並引起消費者購買的慾望，甚至更精準地將訊息送到正有相關產品需求的消費者面前，直接命中目標，讓消費者直接買單。

Appier 是最近竄起，成為台灣第一家獨角獸的公司，它厲害的地方就是幫助廣告主掌握消費者的傾向、利用 AI 預測用戶行為。消費者經常將商品放入購物車後卻未結帳是電商業者常遇到的挑戰，稱之為「被遺棄的購物車」，廣告主可以透過 Appier 的 AiDeal 透過人工智慧與滑鼠游標追蹤技術，分析消費者在網頁上的即時行為動態並進行分群，進一步判斷哪些是「即將購買」、「游移不定」或「只逛不買」的用戶。

在了解用戶的真實消費意向後，AiDeal 會特別針對「猶豫買家」推送限時優惠促銷訊息，藉由創造購買動機來增加成交率。另外，根據研究機構 Adjust 調查，平均有 87％的玩家在下載遊戲七天後即進入「沉睡」狀態，不再與遊戲互動，反映出多數遊戲業者在獲取新玩家後，因互動成本過高而無法持續針對玩家的興趣與行為，導致活躍玩家逐漸流失。

Appier 運用獨有的人工智慧演算法，分析玩家過去與遊戲的互動行為，進而找出哪些人最有可能重返遊戲。接著，Aictivate 會推薦與每個玩家互動的最佳行銷素材，吸引沉睡用戶回歸到遊戲中，同時刺激其在應用程式內的消費力。這就是新網路時代來臨，創業主可以應用科技革新在行銷上的成功案例。

行銷從 4P 到 7P

1964 年，麥卡錫 (McCarthy) 提出 4Ps 營銷組合，即產品(Product)、價格(Price)、通路(Place)和促銷(Promotion)。對創業者來說，自家的產品肯定都是吸引人的，至於價格是否有競爭力，就必須做詳細的市場調查。畢竟自家的產品再吸引人，也不太可能是地球上第一件產品，或是唯一一件產品。了解市場上同質性或有替代性的產品售價，是訂價過程中必須要做的功課。

從創業者的角度來看 4P，表示要先有好產品，具競爭力的價格，同時要找到好的通路做促銷。在通路促銷，就是廣告，不花錢做廣告沒有生意，但花出去的廣告預算卻有一半不知道花到哪裡去，以上也是一般企業主在做行銷預算時頭痛的地方。因此 1981 年布姆斯和比特納 (Booms and

Bitner)在4P基礎上提出了7P營銷組合，增加了人(People)、有形展示(Physical Evidence)和過程(Process)這三項元素。7P也構成了服務營銷的基本框架，在7P當中特別提到人，更準確地說，就是對的人，也是現在網路行銷運用大數據計算，能夠將廣告精準投放到準消費者眼前的過程。而有形的展示，不論是店面展示或網路商店，將商品的特色有效地展示，確實能夠提升消費者買單的意願。

產品銷售的過程，能夠增加更多體驗或分享，更能刺激消費者嘗試。消費有衝動型與需求型，對於衝動購買特性的產品，更需要展示產品的特色與優點，刺激消費者的購買慾望。需求分成顯性與隱性，消費者的顯性需求要被滿足，雖然比隱性需求容易，但如何在競爭市場中提高被注意到的機率，講求的是曝光以及被搜尋到的技巧。隱形需求需要被刺激出來，這部分相當不容易，在市場開拓中，誰能掌握這部分的行銷關鍵技巧，自然能成為該市場的霸主。

巷弄美食靠網紅打卡爆紅

近兩三年不停出現的爆紅網美餐廳，吸引人潮前往打卡朝聖，業績一飛沖天，這種口碑宣傳，就是靠著網友在網路打卡分享而爆紅，究竟有什麼訣竅？IG每月活躍用戶突破十億人次，影響力非同小可，也是年輕族群每天主要使用的社群媒體，如果店家想要吸引更多年輕族群的客人，絕對不能錯過經營 IG。

IG 改變了大家的閱讀習慣，從文字轉為圖片，甚至改變網友的行為，網友在搜尋想吃的餐廳、美食時會到 IG 上搜尋相關 Hashtag。因此，要成為網友的參考名單，就必須在貼文中植入相關 Hashtag ！

有好的產品或服務，要有好的曝光模式，讓客戶找到你。在這個選擇越來越多，而多數人都有選擇障礙的時代裡，傳播比起產品服務本身更重要，千萬不要忽略行銷的必要性。

創富必學的法律課

不懂法律就創業 好比沒帶武器上戰場

剛開始出來創業時，是 2010 年，當時開始流行在部落格貼文宣傳自己，因為有很多對投資理財的想法想要表達，也開始擔任起部落客在奇摩部落格發表專題文章。

當時已經在社區大學教課三年，部落格剛好能夠成為課後跟學員之間交流的管道，遇到學員問了與投資相關的問題，我就會在部落格上貼文回覆。有一次學員問了一個有關融資融券的問題，恰巧我在奇摩知識 +(類似維基百科) 看到一個完整的貼文，我便將整篇內容轉貼到部落格，由於這則貼文並沒有註明引用來源，我當時認為如果是知識 + 上面的回答又沒有引用來源，應該就是公開給大家使用的資訊。

沒想到惡夢就此展開，首先接到一位自稱是這篇文章作者的留言，聲明這篇文章來自於他的著作，由於我沒有註明來源出處，已經侵犯到他的著作權。

第一時間當然我就馬上表達願意註明文章是來自他的著作，當時我的想法是文章的用途只是單純在回覆上課教學的提問，加上在對方不同意我引用後，也馬上下架這篇文章。但由於第一次遇到這樣的情況，有些大意。對方卻緊咬不放，對方多次表達希望出來談談，當然就是要和解金了。經過我上網一查，才發現他已經以這樣的方式告了很多人，被告的一方大部分都和解了事，和解金少則5萬，多則有數10萬的。也有網友說，這就是所謂的著作權蟑螂，專門以這種方式要和解金。

引用此文章沒有註明引用來源，確實不對，後來也明白沒有註明引用來源，確實違反著作權。經過這一輪的出庭，找律師辯護，雖然最後法院判我只要賠對方 3 萬元（對方獅子大開口要求 30 萬元），但加上 50 天拘役（得易科罰金，一天一千），律師費，以及登報道歉的費用，不只花了 20 多萬，整整有 2 年的時間，都為了出庭的事情在煩心。

我的例子告訴我們什麼，一個創業者不能忽略法律層面的重要性，對於一個創業者來說，從公司設立、產品宣傳、員工雇用、合約簽立，以及公司經營，都會與法律有緊密的關係。

創業將伴隨一連串法律相關的選擇題

公司成立初期就會面對與法律相關的選擇題，到底是要獨資、合夥，還是以公司型態設立，有限公司或股份有限公司，都有法律上不同的涵義。

如果是獨資，創業的風險要由個人完全承擔；若是合夥，就由合夥的夥伴們一起承擔，不論是獨資或合夥，都是無限責任，因此並不適合打算長期經營的創業新兵。申請成為有限公司，才能以公司有限的資產來承擔未來經營的風險，至於是否要申請成為股份制，就要看未來是否有公開發行的打算，不然實務上作用不大，有限公司即可。在創業過程中可能遇到的風險不可預料，有限公司本身就是一個法人的特性，才能把公司跟個人切割，避免法律上的風險。

不論創業是自己家人共同出資，或是跟朋友一起創業，都務必要簽好合夥協議，把各項權利義務白紙黑字寫清楚。

才不會將來對簿公堂時，公說公有理，婆說婆有理。

即使是小規模創業，也會有需要對外招募員工的時候，別忘了公司跟員工之間該簽的勞動契約及保密協議，甚至是競業禁止的條款都有其必要。如果能遇到肯拚肯幹，有德有賢有才，願意屈就又能共體時艱的好員工，對於創業者來說，那真是上輩子燒好香，祖先保佑。就有新創公司為了省錢，沒有幫員工投勞健保，一旦遇到勞資糾紛或是員工職災意外，那真是因小失大。

法律面的問題將不斷的困擾著創業者

過去我一個朋友看準上班族工作壓力大，按摩舒壓的需求有其市場。恰好看到在上班族密集的重慶南路上一家店面要出租，由於這個店面過去經營的是 SPA 館，裡面的設施剛好可以當作按摩館使用，而且還不用付頂讓費，就這樣他跟一個好朋友，兩人共出資 100 萬，就開始經營起舒壓按摩館。

我這位朋友極擅長網路行銷，除了製作形象網站，也會做一些活動在網路上曝光，經營沒多久就在那個區域打出知名度。人怕出名豬怕肥，生意好了，不知道是不是周邊的店家眼紅，這時候開始被檢舉，不是沒開發票，就是安檢問題被刁難。我這位好友，當時為了節省經營成本，並沒有申請營業登記證，自然就沒有照正規流程申請安檢程序，更不用說開立發票。就這樣，因為忽略了這些法律層面的細節，最後疲於奔命地處理這些繁瑣的擾人問題，可想而知，最後就是關門大吉。

通常創業的項目與服務業相關的居多，跟消費者之間的糾紛發生頻率最高，也往往是創業者最容易需要面對的法律問題。例如退換貨、退款，或是產品或服務使用後衍生的爭議。所以建議大家準備好各種協議書請客戶在參與服務之前先詳細閱讀並填寫，或是在網站上或公開的場所，將客戶的權益闡明，就能盡量避免法律上的糾紛。

創業本身就是一整個充滿驚喜與挑戰的過程，法律面的問題更是層出不窮地來困擾著創業者，創業前好好地進修一番，將相關的法律知識補強，同時找一個好的法律事務所當顧問，都是身為創業者在邁向成功前的必要準備。

創富必學的融資課

創業必須從找錢開始 錢是創業成敗的關鍵

創業需要資金，這是每個創業者都需要面臨的挑戰，通常出來創業的人，多數是一股衝動，只有少數是深思熟慮，經過縝密的規劃，儲備足夠的糧草才出來創業。即使儲備了足夠的糧草，創業後也會發現，太過樂觀的預期，資金消耗速度太快，營運還沒有上軌道，即資金用罄，沒有糧草的情況下，不得不壯士斷腕，創業夢想破滅，不勝唏嘘。

根據經濟部中小企業處創業諮詢服務中心統計，新創事業高達 90% 的機率會在 1 年內關門大吉，而剩下 1 成的倖存者，有 90% 在 5 年內「莎喲娜啦」。換句話說，前 5 年陣亡率高達 99%，每 100 位創業者，只有 1 位能撐滿 5 年。而能不能撐過 5 年，說穿了關鍵就在營運資金，資金是否充足是創業初期能不能熬過去非常重要的關鍵。

大軍未至，糧草先行。後勤補給一直是戰場上輸贏的關鍵，後勤補給對於創業者來說，就是營運資金。營運資金分成來自創業資本的存量，以及未來日常營業帶來的流量。存量越多，越不用擔心流量不足；若對於流量太過樂觀，不足的存量，遇到特殊情況就會讓創業者疲於奔命（籌錢去啦！）。

要錢臉皮要夠厚 臉皮太薄別想創業

創業初期創業者的資金來源，不是找家人幫忙，就是跟朋友集資，當然家人或是朋友能夠支持是最好的開始。雖然不論找家人還是找朋友，都可能要面臨人情債，未來要怎麼還的棘手問題。但畢竟是自己人，一切好商量。若是家人或朋友背後具備充沛的人脈，能夠結合家人或朋友的資源，創業成功的機率肯定大幅提高。

街口行動是近幾年快速竄起的第三方支付平台，初期這家小公司沒沒無聞，後來大家才發現原來創辦人是胡定吾的

二兒子 - 胡亦嘉，挾著其父親胡定吾豐沛的政商人脈，以及豐沛的金援，也讓街口支付在這群雄並起，競爭激烈的支付戰場中，能夠以小博大佔得先機。

如果扛得起來，利息能夠負擔，找銀行借，也是個好方法。臉皮太薄的人走進銀行借錢，看到銀行員可能比搶銀行的人都還不易自處。其實 45 歲下的創業朋友們，可以多加利用「青年創業貸款」，這是行政院經濟部中小企業處，為了協助青年取得創業經營所需資金，所創辦的項目。

可以以個人名義或是公司名義申請青年創業貸款，兩者的申貸條件不同，以個人名義提出者需要修習 24 小時政府開辦的創業輔導課程，並且出資額須占資本額的 20%；公司名義申請者，公司成立或立案時間不能超過 5 年，同時要符合個人名義應有條件。備妥計畫書與基本文件後，向承辦的銀行分行擇一提出申請，資金問題就能解決啦！

股東還是債主 決定創業後的壓力來源

網路席捲我們的生活方式，加上 Fintech 網路技術的革新，讓創業者募資的管道跟型態出現很大的改變。募資平台的興起，讓創業者的募資門檻大幅下降，國外最著名的募資平台 kickstarter，以及 indiegog，群眾募資總金額已經創下幾 10 億美金，而在台灣，也有 flying V、嘖嘖、群募貝果等募資平台，成功幫助許多提案者拿到圓夢資金。

群眾募資是指個人或小企業通過網路向網友募資集資金的一種集資方式，有別於傳統的集資方式，群眾募資更加透明更加便捷，創業者透過網路呈現自己的想法或創意，讓對自己想法或創意的支持者能夠同時來支持以及參與創業計畫，群眾募資與傳統集資方式最大的不同，在於從面對少數出資者(例如銀行或家人)，到多數的出資者，而且多數出資者可能都是創業者並不認識的陌生人。

區塊鍊技術的興起，也讓創業者的集資方式多了一個特別的方式，首次代幣發行（英文 Initial coin offering，簡寫為 ICO）。此方式是由創業者向贊助者提供由區塊鍊創建的數字代幣，作為股權或債權的表示。

如果創意有商業力 不愁找不到資金

行政院為鼓勵大家創業，改善台灣投資環境，與天使投資人共同投資，成立國家發展基金。若新創事業設立未滿 3 年、實收資本額或實際募資金額不超過新臺幣 8,000 萬元之企業，經天使投資人推薦者，國安基金得優先考量投資。

什麼是天使投資者？是指提供創業資金以換取可轉換債券或所有者權益的富裕個人投資者，簡單說就是已經創業成功的有錢人，希望透過他們的資金來幫助跟他們當初一樣充滿熱情與創意的初創人士。讓這些資金能夠被有效運用，由於資金取得的條件不像銀行那麼嚴苛，甚至這些天使投資者，還會分享他們擁有的資源來幫助初創者，所以被稱為天使。

和 investU 的各位一起走投資的漫漫長路

《專訪－ investU 線上社大董事 JJ 老師》

「善用投資，為你自己多賺一份年終！」、「學會投資、幫你打造被動的現金收入，創造個人財富自由！」，假設你是個上班族，每天為了工作而奔波，到了月底卻因為薪資而發愁，想要開始研究理財、學習投資，但卻苦無管道，或是動輒就被複雜的資產類別、投資組合弄得頭昏眼花時，或許從零開始的體系化學習是最適合你的！

今日，我們訪問到 investU 線上社大的創辦人，也是裡頭的講師：陳駿傑（以下簡稱：JJ 老師），向各位分享學習投資的歷程、以及正確地面對投資的態度！

樂活投資、終身學習

「最初，會創立 investU 線上社大的原因，是為了回饋線下的學員們，因為我們早期都是現場上課，講義會再另外提供，但這樣有時，講義和影片檔都會分散到不同程式裡，後來發現這樣很不方便，所以就希望能有一個平台提供給學員們，讓他們上完課可以複習，同時也會將講義都整理在一起，有了這樣的規劃，就方便多了！」

JJ 老師說，因為自己非金融領域出身，而早期沒有太多的管道可以讓非本科系的投資人進入金融圈，只能透過自學去強化金融領域的專業，因而他相當了解新手一開始的無助感，諸多的因素都會讓投資初心者卻步，但如果有一個平台，可以讓初學者能夠輕易地接觸到投資的入門磚，那該有多好！於是就誕生了 investU 線上社大。

「樂活投資、終身學習，秉持讓對投資有興趣的學員們，能夠有一個優良跟方便的學習平台，團隊們投入了多年的時間與龐大的心力，建立了 investU 線上社大，希望讓大家能夠在投資能夠更深入更扎實地學習投資！」因而在 investU 線上社大，不論年齡、不論資歷，這裡都會有適合你的課程。

investU，是 invest 加上 U（you），也就是投資你的意思，因畢竟投資自己是最有價值的，在投資所有金融商品前，要先投資自己！就是這樣的精神，JJ 老師期待學員們都可以在投資領域有所獲得，在專業知識上、在人生的道路上充實自己。

讓我們一起走投資的漫漫長路

JJ 老師也說，投資是條漫漫長路，在不同的階段會遇到不同的難題，因此，更要有人一起慢慢地走，「光頭跟著月亮走、投資跟著我們走！」是老師在 investU 線上社大的宣告，讓理論與實務並重的課程，帶給你正確的觀念與技巧。

藉由老師多年經驗的傳授帶你入門，不管你是初學、進階，都可以在這裡找到需要的資源，能夠學習到完整的投資方法論，「這是一個互動性很高的平台，會即時回應、解決學員間的問題，如果想要有一起交流的同好的話，這裡都會提供很好的服務。」

「投資這件事情，沒有辦法一夜致富，在這領域如果有同好，可以一起前進的話就很好；另外，學員間的互動也是很熱絡的，像我們去香港、澳門的團，都很熱門！其實大家私底下的關係都還不錯。」

白領也做得到的內部創業思維

接著，JJ 老師也提到他非常欣賞郭台銘，尤其是他的氣度，「就算你是一般的上班族，我覺得你也不要把自己的定位擺得那麼低，甚至可以想說，可不可以和公司一起打拼這樣的事業？這就等於是一個內部創業的思維了。」

不管如何，應該要用高的標準去檢視自己，就算目前的工作還沒有到很頂尖，但還是可以調整自己的心態，去面對眼前的工作，它可以不僅是一個工作，而可以是帶領你人生成長很重要的關鍵！

JJ 老師也說，過去的他是潛心於機械領域的工程師，但是在創業後，要面對與學生、合作對象、公司內部業務的溝通協調問題，看事情的角度變得很不一樣。

這些年下來，JJ 老師也坦言在這個過程中最大的轉變，就是對業務行銷的看法，「行銷對一家公司真的十分重要，其實頂級的企業家都是很優良的業務，會到世界各地去拚業務，幫公司拓展新的市場，畢竟身為公司的經營者，就是要不斷地宣傳商品。」因此，未來會加強公司的行銷力道，讓更多人認識 investU 線上社大。

依序分層建構的學程規劃

「目前的課程依程度的不同而分成：基礎、策略、實戰。

外面的老師比較多是單行道的部分，但是我們這裡是樹枝狀的學習模式，我們都設計好基礎觀念不同的商品，讓不同程度的投資人都可以在這裡找到理論與實務並重的課程。」

課程的規劃架構先從個別商品的基本概念、特性、資金、交易投資的風格開始，讓剛進入這領域的投資人，可以找到自己的方法和策略；另外，再由個別商品下去延伸，提供投資人穩健且易學的交易系統；接下來就是實戰，讓學員在學了老師的交易系統後，透過實際經驗，漸漸內化成自己的體系，這段期間也可以透過和老師的互動，建立起信心。

「其實我們的平台非常的完整，除了 investU 線上社大之外，還有 LINE 的社群、youtube 頻道，像是目前也在推行華爾街見聞的直播，就是一個很好的入門。」

投資各階段的歷程，都會在這裡有合適的資源，也能和老師有即時的互動！讓你對投資的不安感降到最低！「目前 investU 線上社大有年繳、會員制的模式，我們會和學員一起交流，讓大家一起前進！」

investU 線上社大

· 電話：+886-2-2726-0178
· E-mail：msfg@investu.asia
· 網站：https://www.investu.asia/

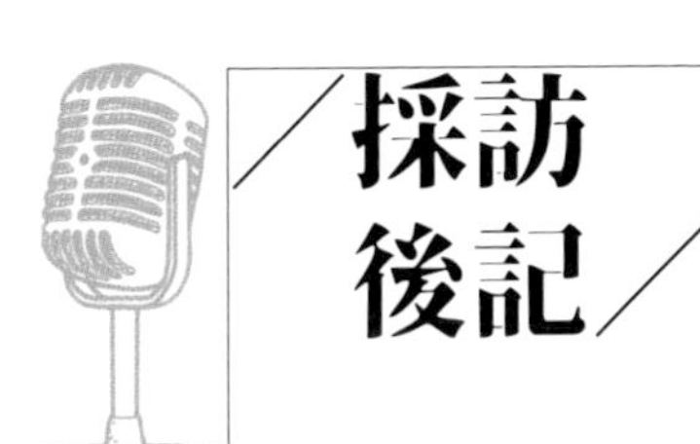

採訪後記

謝·晨·彥·博·士

出了社會後，許多人開始會有研究投資理財的慾望，但網路上的資源太多、名師也太多，總是滔滔不絕地將輕鬆獲利、現金流掛在嘴邊，讓人對投資有種霧裡看花之感，因而想要扎實學習的人似乎總是要繞很遠的路才可以入門。

「投資這件事情，沒有辦法一夜致富。」這句話或許也道出了投資真正的面貌，如果真的要追求穩健獲利的話，必須要潛心地學習、不斷地嘗試才行，若是投資真的一蹴可幾的話，應該只是投機而非投資了。

因而，JJ 老師當初要創建 investU 線上社大的心，確實可以讓許多人在初嘗試就能有較好的開始，而不會不知所措，畢竟老師也是從非金融領域一路走了過來，學員會經歷的問題，老師一定都很了解。

打造老台北的文藝復興

《專訪－京町 8 號 創辦人 Ken》

懷著初衷，在現實中穩健成長

許多懷抱創業夢的人，內心肯定存在著崇拜的對象，指引他們在創業的難關中持續挺進，然而 Ken 並沒有特別欣賞的創業者，但是他也藉此分享了一個很巧合的故事：

「前兩天剛好戴勝益先生來到我們的店，他就是一個很成功的創業者！在創業初期的時候，我們對創業和資金不是很熟悉，很常和太太互開玩笑，你以為我們是戴勝益啊？我們開的不是益品書屋（笑）」，在創業過程中保持初心，認清現實不過度膨脹，是他們對經營所抱持的態度。

「還是希望把人文或是藝術帶到現在人的生活當中，其實我們分享的不只是一間店要怎麼做，而是怎麼樣把台北的文化、讀書的文化、藝術的氣息如何再帶回現代人的身上。」Ken 溫柔而堅定地說著。

微苦中的一點甜－ coffee、文創、藝術的巧妙結合

在溫潤的燈光下喝著咖啡、吃著餅乾，聊著當初創業的心境，有些回憶漸漸浮上 Ken 的心頭，語調也不禁變得更加輕快：「其實我們夫妻很喜歡喝咖啡，所以在家裡喝咖啡的時候我們都會想說找一點甜的啊、餅乾來配，那創立這家店以後，我們就希望來這家店的客人，一樣有在家的那種享受，所以我們就附上了一個小點心，那他們可以在有一點微苦的狀態下來一點甜的餅乾，這樣的搭配下會覺得蠻自在、輕鬆的。」

店裡面同時也擺設著非常多的藝術作品、文創商品，舉黃銅書籤為例，上頭是台灣歷史變遷上重要的標誌性建物，從延平南路的北門、再到撫臺街洋樓、直到路底的中山堂，這代表著台灣從清朝、日治到國民黨遷台各個階段的歷史，透過販售這樣的紀念商品，讓京町 8 號這間咖啡館，肩負起文化傳承的使命，予更多年輕人、甚至是外國人，了解曾經

發生在這裡的歷史。

變異中不曾停止創新的經營之路

有沒有經營的方法可以分享給大家的呢？「第一個最基本的是，店裡面的的菜單、菜色其實一直不斷地做調整；也有在網路上經營粉絲團，在裡面不只介紹自己的店，還介紹這個地方在地的文化與小故事。」

不停地讓顧客保有新鮮感，並以在地文化激發黏著度，雙向地結合是提高回流度的很大原因，而經營者其實也應不停地順應新時勢「因為現在很流行，所謂外送等網路通路的業者，所以也結合了很多諸如 Uber Eats、foodpanda 這樣的外送平台，讓沒有機會來到這個地方的人更有機會享受我們的咖啡，我們其實也是不斷地邊走邊調整。」

這樣的模式，也讓店內的業績穩定成長，「我們想盡量把品質做好，讓大家喜歡上這個地方，很多人因為在這裡的咖啡好喝、餐飲好吃，所以在三年的時間，我們漸漸培養了一群老客人。因為原本在城中區這個地方，晚上沒有什麼人，所以一開始只開到 6 點，那也因為這樣時間的累積，客人開始跟我抱怨這樣子，他們下班了也趕不及來，所以從今年 7

月份開始就加強營業時間，為了符合客戶需求，我們開到晚上 9 點鐘，希望能讓更多客人有機會到我們的咖啡館。」

顧客為主，談經營的同理

「這樣算抱怨嗎（笑），那給我一分鐘抱怨一下！」話鋒一轉，在談到經營過程中所遭遇到的困難時，Ken 突然微微地蹙了眉頭，才開始有點面有難色地說：「在經營咖啡館之後，才發現一樣米養百樣人，其實每個人習慣不一樣，我們不能決定，但有時候會覺得你為什麼這樣？」

「像我們有一個客人，他來了，點了一杯咖啡，那我們歡迎他來這裡享受和休息，但是他很酷的是，他拿了延長線，然後呢插著電腦啊、音響啊，連印表機都搬來了，然後用一整個下午。」

對於比較難纏的客人，他選擇運用同理的方式，委婉地向顧客說明，在人與人之間的相處上，適時地保有彈性，不需使用太過強硬的方式去介入，反而讓咖啡館更多了一層尊重後的溫柔。

接著 Ken 開始笑著與我們分享他和客人間相處的趣事：

「像是店內的一幅北門速寫畫，畫家是一位德國的速寫家，習慣在世界各地以速寫的方式記錄旅遊，他有一次從德國來台灣，然後同時也就去了很多地方，包括來我們咖啡館喝咖啡，在聊天的過程中我們就認識了！」

「過了沒幾個月他與我們聯絡，希望把畫展從德國搬來台灣，在店裡辦一個畫展，而我們也鼓勵他！之後他再飛來台灣的時候，就送我們這幅畫，所以其實我們也結交這些客人、朋友，令人感動的是，他們再次來台灣時還是會回來店裡看我們，很多人也和我們就像是朋友一樣，這對我們來說也是一種額外的收穫。」

未來的 coffee 館－延續老台北的文藝復興

渡過最艱辛的創業初期後，也有了新的經營方針，因為在乎當地的文化，想號召更多人願意回到城中區，所以將觸角往外延伸，是未來努力的擴展方向，「未來會持續經營咖啡館，但會想和附近博物館、古蹟結合，做更多的推廣，讓文化延續、傳承下去，因為喜愛古蹟，對這個地方有種莫名的使命感，希望大家能更認識這裡。」

其實現在的京町已經不同於以往了，改造重新詮釋了老屋的新生命，正如貼在牆上的一行字：「the land flowing with milk and honey」，源自聖經的經文，意思是流著奶與蜜的應許之地，象徵咖啡館是受到上帝眷顧的豐饒之地，另外也因 Ken 夫妻同為基督徒的原因，書架上放有張可愛的立牌「免費的禱告，有需要請洽店長！」也讓顧客感到滿滿的溫暖。

訪問至此，我們感受到 Ken 夫婦對古蹟、建築、與文化的熱愛，支撐著他們跨出自己的本業，從最初著手於建築改造，到之後從零開始的咖啡館創業夢，也是因為懷著這樣的熱情，加上傳承的使命感，城中區因為京町 8 號的存在，過去的復古時光已漸漸被悄然喚醒，不僅讓老台北人能夠回味往日的記憶，年輕人與外國人也能在這個過程中漸漸對城中區產生認同，了解這裡、甚至喜歡這裡，下次如果有機會到府中區，記得來這裡喝杯咖啡、吹著風感受一下老台北的復古氣息！

用一句話描述創業：

努力堅持莫忘初心！

京町
8号

京町 8 號

· 電話：02-23812388
· 地址：台北市中正區博愛路 8 號
· 臉書：https://www.facebook.com/KyomachiNo8/

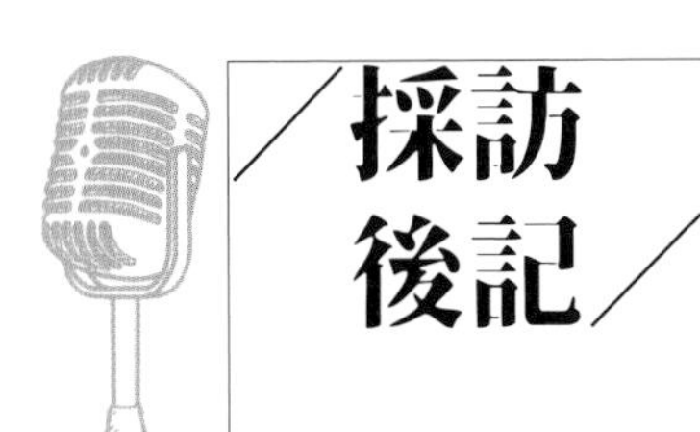

／採訪後記／

謝·晨·彥·博·士

年輕的時候曾想過要開紅茶店，因為俗話說賣水的最好賺，賣冰勝過當醫生。當時看著一家家快可立開幕，帶起500cc 手搖杯的風潮，尤其是奶茶裡面加上珍珠，幾乎每天都要光顧喝上一杯，也因此興起出社會後想要開一家紅茶店的念頭。快可立在 1998 到 1999 年間每天平均開兩家加盟店，擴張速度之快，讓全台灣出現了一波「500cc. 飲料店」的創業熱潮。但都還沒等到我加盟，紅極一時的快可立竟然就突然在台灣市場幾乎銷聲匿跡？爆紅之後競爭對手相繼出現，甚至出現想搭順風車的模仿者，即使在商標戰纏訟 5 年之後勝訴，也讓快可立淡出市場。當然，一方面新品牌崛起，一方面加盟商無心戀戰也是主因。

還記得蛋塔工廠颳起的葡式蛋塔旋風嗎？ 90 年代來自澳門的「葡式蛋塔」掀起台灣一股吃蛋塔的風潮，台灣人創業的跟風熱潮，短短 3 個月，就讓全台各地的「葡式蛋塔」店，從排隊買蛋塔的人潮到瞬間消失。所以創業初期，如果沒有具備未來將會面臨的資金、財務、法律、行銷等方面專業知識，很快也會成為統計數字上的一員。

川劇變臉與魔術的神奇結合

《專訪－魔術師 神奇傑克》

與見證奇蹟之間，是千百次練習的距離

You're no idiot, of course. You know the gift of magic isn't borne on faeries' wings or bestowed a birth by a touch of Merlin's staff--it takes lots of practice to perfect the tricks that will astound audiences.

The Complete Idiot's Guide to Magic Tricks

「當然，你不是一個笨蛋！你知道魔法的天賦根本不是來自源於精靈的翅膀、也不是魔法師梅林用權杖一觸碰就有的，它需要許多的練習去完善技巧，才能令觀眾感到驚奇。」

在大眾眼光裡，看似光鮮亮麗的魔術表演工作，實際上背後是一場持續和觀眾對弈的心理戰，魔術師的壓力是一般人所無法想像的「因為觀眾們在看魔術的時候，其實就是抱著希望魔術師失誤的心態，一種我要看你有多厲害的想法，所以魔術師就是要和觀眾鬥智，彼此互猜，因此整個表演下來其實是非常耗心力的過程」

「我看過很多和魔術相關的書籍，例如魔術史、魔術傳記等等，可以了解魔術的歷史演進、魔術師表演的各種概念，當中一本《 傻瓜魔術》，現在已經絕版，不過這是我很喜歡的一本書，聽起來雖然很笨，但我覺得裡面有一句話蠻好的，以前我不了解這句話的意義，但現在漸漸了解了『魔術師應該專注於自己的表演上，在專注於自己的表演之餘，其實不要和其他的魔術師太好。』」

「雖然有一句話是這麼說的：同藝相規、同巧相勝，意思是相同行業的人會彼此存有競爭之心、會求好心切地互相比較，我認為雖然同行間可以相規，但是必須保持一段美麗的距離，因為你的工作就是表演，上台和觀眾鬥志、下台和其他魔術師鬥智，會形成彼此間的虛耗，所以在瞭解現實面之後，我在工作之餘反而喜歡和其他行業別的人吃飯。」在自己的專業之餘，要嘗試多與其他行業別接觸，拓展自己的視野，避免自己被本業的習氣沾染得太深，而無法跳脫魔術業舊有的常規。

所謂「同道相成，同藝相規，同巧相勝。」相傳源自於《黃石公素書》，為黃石公所撰，書裡蘊含深厚的道家思想，講述宇宙間廣泛運行的法則，以深入闡述道的要義，是本謀略之書，據說黃石公於三試張良後，才將此書傳授與他，張良如獲至寶，也才因此能輔佐劉邦一統天下，這在說明相同事物彼此競爭、互動、消長的自然規律，人與人之間也確實存在著這樣的現象。

在自己的時區裡面，永遠都是最好的時刻

「你問我對的未來願景和夢想，我不敢這樣說、也不敢回答你，但有兩個方向：第一、把自己的表演做好，一開始我和很多前輩、平輩一起做，現在反而多了很多後輩，所以我覺得沒有甚麼時候是最好的時機，每個時刻都是最好的，就是把自己的工作做好就好！沒有最好或是最慢。第二、把表演作精、作準確，讓客人會覺得比他的期待多一點，能夠多給客人的就多給一點，創意不是說要發明多大的科技，很多很好的創意只要比別人多一點點，就能夠比別人有更多接觸到更好的客人，與成功更接近。」老師對表演的熱情始終

不減，真正的喜愛，是會讓你突破一個又一個的挑戰，且不畏艱難，能夠吃苦的人其實是最幸運的。

是魔術師，也是以人為本的藝術家

魔術總在虛實間交替，看似虛幻、但又異常地現實，所見不一定為真，但又無法拆解，留下觀眾與魔術師之間那不可言喻的默契「能帶給別人快樂，是最高貴的藝術。」電影大娛樂家的一段話，揭露出魔術表演的珍貴，價值不在表演的形式，而是當中所傳達出的意境，透過魔術，讓許多人感受到快樂，以人為本是表演中很高貴的精神。

而如果不特意提起，或許大家不知道老師曾經參演過許多知名的廣告、電視劇，像是「Ｂ＆Ｑ特力屋」、「鐵牛運功散」、「妙潔保鮮膜」等的早期廣告，都有老師的身影，這些經驗也在無形之中，對表演產生潛移默化的功效，原本看似無關的事物，最後竟都漸漸地回歸、匯集而成為現在的樣子，這也是在跳脫框架，永遠不過度假設下而得來的成果。

擁有眾多的表演經驗，傑克老師還是持續地優化自己，表演就像是會呼吸，一舉手、投足，都體現了老師在傳統國學、西洋魔術等的精湛造詣，『台灣川劇變臉』與『宮廷戲法魔術』更是引領了一波風潮，老師的神奇傑克活動有限公司，更曾經榮獲年度最佳活動達人冠軍的稱號，公司的官網所稱的「～我們，不是在表演，就是在表演的路上～」真的是最適切不過了。

曾經的魔術學，未來可望再現

然而，相信有許多魔術的愛好者，非常關心老師現在是否有開班授課的意願？「我主要是以表演為主，之前有在明新科技大學開過魔術學，這是有學分的喔，也是唯一的魔術課程，所以修的學生很多，但是因為早期一開始其實是以商業考量為主，你也知道在大學教書錢很少，所以我慢慢地在教學的部分越來越少，除了有一些藝人或是扶輪社，有一些小團體的授課我才會教，不然一般的學生我是不太教，因為做到一個地步的時候，做了這麼久的表演，慢慢開始了有一些邀約，但如果觀眾朋友有興趣的話，欸～當然可以啊！」

「運用在社交與行銷，能夠學個小魔術也不錯，像是印鈔票的魔術就不錯啊！你利用魔術去結合自己的專業，看要如何倍增、改變、迎合客人的話術等等，其實魔術可以和很多東西有所滲透、或是產生連結，也可以改變你的客戶端，激發出更微妙的關係，就算本身不是魔術師，你也會受到魔術的影響。」

說到此，傑克老師也十分爽快地應著我們的要求，近距離地教學一小段魔術，用一百元鈔票，表演了一段 Penetration Magic Trick（穿透魔術），只見老師將筆穿過一張百元鈔，但是鈔票本身卻毫髮無損，信手拈來的魔術，還是令人感到驚奇。

在市場地圖中找到自己，勇往直前去創業

最後，請入行 25 年的傑克老師給創業的人建議，老師立刻說「我覺得市場不會改變，只會重新分配，唯有找到自己的方向與定位，你才會在這市場有一席之地，也只有擁有一席之地，你才能在創業上面勇往直前。」

神奇傑克活動有限公司

- 電話：0932922044
- E-mail：party555party@yahoo.com.tw
- 網站：http://www.magicjack.com.tw

／採訪後記／

謝．晨．彥．博．士

訪問前神奇傑克就不斷地傳各種素材給我們，雖然已是好友的我們，仍然可以感受到他重視這次訪談的程度。從經營者的角度來看，魔鬼絕對藏在細節裡。這也是為什麼神奇傑克每每在演出前，都要提早到表演現場實勘，親自檢查每個環節，甚至預先排練每個橋段，決不能讓一點小錯誤出現在表演過程當中。包含燈光，以及音樂播出的順序，都必須要實際走一遍，而我們就在旁邊觀看，看著神情認真的他，我們是大氣也不敢吭一聲。每次演出，就是一個團隊出來，即使不需要有這麼大的排場，他還是這樣要求，因為團隊的氣勢出來了，客戶更能感受到誠意！

為解決問題而生的先鋒者

《專訪－禾貿管理顧問公司 總經理吳岳展》

近年來因為全球業務的急速發展，各領域間的界線已然越發模糊，再加上許多 AI 等創新科技的蓬勃出現，再再改變了許多領域的運作模式，於舊有時代下累積而來的法則，於今已然不再全盤適用，新的世代急需創建新的規則！因而產業轉型是現代刻不容緩的議題，也是現今管理顧問公司所必須面臨的嚴峻挑戰。

為解決問題而生的先鋒者

"Our consultants work alongside our clients to solve their biggest challenges. We find and execute value-creation opportunities that result in long-lasting impact. As consultants, we become our clients' trusted advisors, supporting them through the life of their businesses."

Global Management Consulting(BCG)

就如同全球頂尖的管理顧問公司－波士頓諮詢，身為該產業的龍頭，他們在公司的官網上用斗大的標題所宣稱：「用最精準的方式，去解決客戶所面臨的最大危機」

所以一間管理顧問公司，總是在客戶最危急的時刻肩負起不可或缺的重責大任，工作時須同時接觸不同產業、部門，而去協調各部中間的利益關係、思考組織架構重整的可能、甚至協助員工訓練等，所以接觸的資訊會十分龐雜，實際上工作的內容並無法一蓋而論之，其背後更是需要長年廣泛的跨領域經驗作為支撐、且結合準確的思考才能做好精準的決策，進而有效地去說服公司裡重要的領導階層，幫助客戶走過困境，化眼前的燃眉之急為無物。

喝杯酒吧！創業也沒有那麼苦

雖然管理顧問公司擅長替客戶解決所有問題，但在如此高壓的環境下工作，吳總經理不諱言地說自己也遭遇過許多難關，並不是大家所想的創業路上一路順遂。

就著一杯微嗆的酒入喉後，吳總經理開始繼續說到最大的困難其實是在人事問題！「人際溝通的問題非常重要，特別是像我們自己因為念的是經濟系，可能就是被訓練得比較理性，所以有時候我們也無法很理解各種狀況，在經濟學裡面假設人就是理性的，像是每次都要假設 other things being equal（笑）」

漸漸地，若把這個思考習慣帶入經營裡面，一定會形成與員工溝通上的困難，「尤其是現在勞工權益和女權意識的興起，個人權利或利益需要被保護的意識強烈，和員工溝通若只是遵守理性已經非常不夠，你並不能管太多。」因而在人權意識的高漲之下，管理之術應該要有所調整。

未來的管理－扁平化的管理

「新世代的管理思維，若以我們的產業管理顧問業為例，現在公司運作的模式其實並沒有固定的員工，只是依照不同的專案各別去找尋適合的人，那當然在前面過程，已經將觸角伸出，接觸不同類型的廣泛人才，前面已經研究過這樣的人有沒有合作的可能性，那在這樣的過程中，其實對於我們或是接案者而言都是 nothing to lose，人事的管理相較於以前上下垂直分層的管理，扁平式的管理更適合現在的型態，能夠同時和很多不同顧問合作。」

創業是成就他人，也成就自己

從年輕的創業，直到現在經過了一段時間的沉澱，也漸漸從偏向自我的利己主義，轉向以服務顧客為榮的利他主義「年輕一開始創業其實是為了賺錢，現在會認為其實是成就別人的夢想，譬如說，我們有時合作食品的公司，我們會同時統包採購，讓對方其實是 cost down，而且不用多花人力，幫助客戶成就他人的同時，自己也有生意可以做。」

「譬如說我們最近有一個客戶，是一位非常年輕、很有衝勁的老闆，在台中有一家連鎖餐飲店，所以想在台北、新竹開始拓點，但是你想喔，原本的原物料供應地是在台中，你不可能直接運到台北或是新竹，這樣子運很難，所以我們公司可以幫你連接這些資源，我們幫你做一些當地的原物料採購，幫你做這些事情，之 後你就可以省很多功課，讓你專心去想拓點等等的規劃。」

「原本的採購就是需要這麼多成本，對方也很清楚，而我們引進可以提供的商品，讓對方比較價格和品質，你覺得可以再導入，導入後就發包給我，然後對方只要專心於自己的業務，比如開發菜色、經營客群或是行銷推廣就好」

這就是跳脫一個新的思維，在客戶已經提供給顧問公司固定的報酬下，於此同時若顧問公司也將業務含括到採購，客戶就不必多增加花費，也可同時將採購部門的問題一併解決，免除過往採購流程中可能會出現的弊端與浪費。

持續 e 化，替企業節省開支

對於公司的未來，吳總經理也很有自己的一套想法「我們之前做的方法，當然還是以原物料的導入這些為主，再來提供一些專業訓練，例如餐飲業當中，訓練廚師、調教口味等，甚至是當忙想宣傳的梗，但是我覺得這些東西還是會花費人力、物力，希望能再把它 cost down，希望能再把它 e 化，所以我們有在和專精 app 的人、會 ERP 的人進行接觸，討論合作的可能性。」

ERP（Enterprise Resource Planning）是一個企業資源規劃系統，能將業務流程妥善管理，整合公司在營運、財務、供應鏈上面的的工作，透過整合各部門間的不同流程到同個表格中，令操作流程變得比以往更加簡便！舉庫存的部分為例，就不需要再自己製作 excel 表格去歸納各式各樣的品項，就能讓公司了解各分點的庫存，而去對低水位的庫存做更有效的管理。

所以 ERP 對公司的營運上會有極大的幫助，而在此同時，吳總經理也將台灣許多中小企業的共通問題直接點了出來，「坦白說中小企業中常有許多無形的浪費，對中間的庫存都是沒有察覺的，所以為什麼我們會有生意，因為我們會幫對方節省，但同時卻提高成效。」這也是管理顧問公司成功的重要原因，擁有看到問題背後本質的能力，並能夠透過精準分析，去提出妥善的解決方案。

懷抱開放心胸，面對希望前景

最後吳總經理更是非常謙虛地表示自己也是正在學習，但同時鼓勵大家應該要對未來懷抱希望，也要有廣闊的心胸去和他人協同合作，這樣才能替台灣與我們這個世代創造更美好的未來。

「在這過程中，我想我們還是在跌跌撞撞當中，應該要有開放的心胸去一起交流、一起學習，譬如在台灣土地上的這群年輕人，如果未來願意一起做夢一起想像，除了是為我們這一代創造新的機會，同時也是為了台灣。」

禾貿管理顧問公司

・E-mail：vincent010005@gmail.com

／採訪後記／

謝・晨・彥・博・士

不同於傳統企業的垂直式管理，近幾年的新創企業更偏向於扁平式管理。現在的員工勞權意識高漲，擁有較強的個人意識。除非企業已經大到一定規模，需要用制度來做管理框架。不然對新興企業來說，扁平式管理相對能夠保有較高的靈活性。

禾貿管理顧問公司便是一個很好的例子，針對每一種不同類型的案子，會有不同的配合團隊。雖然有人員的高流動性，但適才適所的配置，反而讓整體的工作效率大幅提升。而這樣的運作模式，也能更有效的幫助客戶解決問題，提升經營成效。

現在的市場生態，已和過往不同，不再是一間公司單打獨鬥的年代。新創企業之間必須與不同領域的團隊相互合作，運用各自的專業職能進行互補，才能在現在競爭激烈且瞬息萬變的市場上存活下來。

務實研發的奈米創新之路

《專訪－明里科技 行銷總監彭嘉輝》

明里科技品牌由來

AKALI 品牌的由來，因為之前彭總最後一個工作待過日商，公司品牌與日文有些連結，AKA（取自日文漢字「明あか」），LI（取自日文片假名り RI 的音，成為中文的里），因為考量到以 A 開頭，公司名稱排名會在比較前面，但同時又不能太長，所以兩到三個音就好，AKALI 的中文明里科技，意思是光亮、光明，其實也恰巧隱含對公司未來發展的正向期待。

王永慶－傳統創業家的標竿

彭總非常喜歡看與創業相關的傳記文學，尤其有經營之王之稱的王永慶更是影響他最深的人物，「前 300 大企業的傳記，我應該都看過，每個在創業過程中能傑出的，都會有特殊的背景，創業者會有特殊的人格特質，當中我最喜歡王永慶！他很多事情都會讓人覺得這不是一般人的狀態，晚上9點30睡覺、早上2點起床後還去慢跑，就算是生病也是這樣，數十年如一日。」

「而且成本控制細到不可思議，記得王永慶只是小學畢業，不了解也不懂塑膠，在當時台灣的行政院說要發展更高的產業，他覺得不懂但是他就是做，以前肯定沒接觸過，但就是一直學！你看張忠謀的半導體以前也都沒有，以前只有電機、馬達啊，所以你比別人跑得快一點，多學一點你就可以贏別人。」

「傳統的吃苦、耐勞、節儉、樸素的精神對創業很重要，你只要比競爭對手活得久、跑得快，幾個風暴挺過去，產業自然就會汰弱留強，大者恆大的規模經濟就會出現。」創業其實也是一場耐力賽，在風暴後能堅持撐下來的就是贏家。

技術、業務、到創業蛻變過程

從傳統的工程背景到現在的跨領域，我們好奇在這職涯過程中間的轉變，以及曾經歷過的難題？過往的工程背景是否形成一種侷限、抑或其實是另外一種助益呢？

「外商在職務上劃分得很細，業務、技術行銷、甚至還有戰略性行銷等，當中職務轉換是很辛苦，看似很接近但其實差很多，做技術通常就是把技術做好，去面對儀器設備；做行銷大概不會面對到機器設備，但要面對研發主管，機器大概會比較單純、人則會有脾氣問題，所以不同部門的想法、心態會差很多。」

「以前做技術，就是看人，雖然技術部門一般來說有個保障，但如果你還有更好的規劃、對人生有更多的企圖，做技術就未必適合每一個人，你想要做更多事情的話，往業務行銷上發展，未來的選擇性會更多。」

這中間的轉換，除了業務上的當然差別外，彭總坦言，其實人的心態、企圖，更是當中的關鍵，創業是磨練自己、精進各部份能力的一條路徑，它不是單向的，而是會讓你全盤地檢視自己。

開放、尊重的管理－以制度化解情緒

歷經過美商、與日商兩種不同文化制度的洗禮，前者注重個人風格式的英雄主義，給予員工較大的發揮空間，但同時在人事方面毫不手軟；後者則強調組織的一體行動，階級制度明顯。

「我覺得日商半導體衰弱有它的原因，走向小圈圈化，全部外派就會形成問題，日商公司的女同事在主管進來之前要幫忙倒水，這在美商不會發生」彭總認為美商的方式在公司事務的處理上會更有效率，大家更能保持一顆開放的心，藉由妥善的制度去處理人的情緒，將工作的心結解開，有助於事務的處理。

專注於奈米基礎的創新材料

訪問至此，我們請彭總向我們介紹公司的產品，彭總隨即興奮地用投影片一一詳細地解說起公司的各項產品，範圍廣遍各項日常生活用品、車用奈米鍍膜、建材自清潔奈米鍍膜、自消毒奈米鍍膜、自修復鍍膜及其他特殊應用等。

「我們是做奈米分散，是將一般塊狀的材料做成直徑約10奈米(或更小)的小顆粒分散在液體中，10奈米就是比大腸桿菌長度(約2,000奈米)小上200倍，奈米微粒體積太小，其質量小到已失去地心引力，奈米微粒分散在液體中就形成如在外太空無重力下的漂浮，在液體中放置 10 年也不會沉澱。」

明里科技採用分散技術，將材料的結構做小，使得表面積更大、反應力更強，改變了原有材料的特性，並創造出許多不可思議的智慧鍍膜，例如自己會清潔的鍍膜、自己會消毒的鍍膜、刮傷後自己會修復的鍍膜等，除了這些智慧功能外，更重要的是產品效能可長達 10 年；同時具有全透明、完全沒有觸感等奈米特性。」

「奈米二氧化矽 (Nano SiO2)，用於自潔（Self Clean）系列，將它用在建築表面，像是大理石、花崗岩等，會有超輸水性的效果，它如同蓮花一般，兩層結構凹凸的特性，會有表面張力，你就不用去清洗，現在很多 40、50 層樓的大樓就可以用這個讓灰塵不會附著在上面，免除清潔的麻煩。」此外，像是手機、公用馬桶、醫院病床等都可以導入智慧材料，以自清潔、自修復的功能，讓我們的生活更加便利。

「新創企業選取藍海策略，以利基型的產品再加以創新以形成產品的區隔化，這對企業生存有多重的保護，創新帶動業績成長，像是奈米創新材料就是我們公司很重要的。」不斷地創新再創新，是明里科技一路以來堅持的創業之路。

以品牌特性建構市場區隔

目前以奈米作為品牌的公司並不多，明里科技就是其中一家「我們盡量做到產品區隔、差異化，才能保證 AKALI 這個品牌，在世界以奈米做品牌的沒有幾家，但是以清潔做品牌有太多，國外有些客戶也幫我們品牌化，目前在台灣、中國有 AKALI 的商標，但其實商標也是要評估人口和市場，再配合公司的業務及財務狀態下分批佈局才比較穩健。」

創業－於黑暗中領略生命的光

「創業是一個比較好發展的舞台，但也是對人生最後負責任的，就像是你的人生想要做甚麼事？是平平淡淡過一生？還是對人生有所作為 ，有所交代？留給社會什麼樣的貢獻？留給後人什麼樣的榜樣？」

「一般來講，用生命的高度來看待創業，創業就不容易失敗。企業一定是風風雨雨的，你要忍過去痛過去，就是在伸手不見五指的黑暗中，也要摸著走下去，走過去三年五年後，怕的人都走了，剩下的就是你了。」

明里科技 (AkaliNano)

・官網：www.AkaliNano.com
・電話：+886-2-2758-4890
・E-mail：suppport@AkaliNano.com

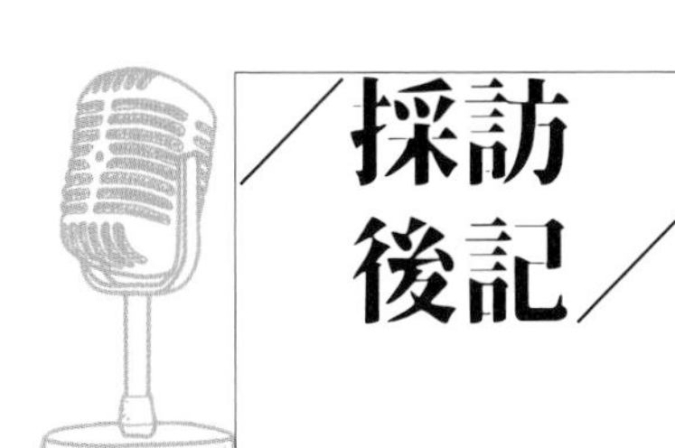

採訪後記
謝·晨·彥·博·士

經營者除了公司內部的組織管理外，還必須站在第一線接觸客戶以及供應商，每天面對的都是「人」的問題。談得來的，生意一拍即合，談不來的，就得花費更多的心力，想盡辦法讓對方簽字。除了公司產品在市場是否具有優勢，更重要的是在業務的經營，所以每一位老闆都必須是公司裡最頂尖的業務員。頂尖業務彭總領頭在海內外到處參展，公司產品也逐漸受到市場認同。

其實我們的生活日常用品，也有許多奈米技術的應用。明里科技在這個生活領域應用的研究，相當的專精，你是否覺得市面販售的除臭劑效果很短，沒過多久就得再換新的；明里的奈米銀除臭劑可以達到半年以上的除臭效果。買了貴到不行的防潑水外套、鞋子，怎麼沒多久就開始滲水了？明里輸水性的鞋類保養品，除了可以防潑還能防汙、防褪色。這些方便實用，價格親民的奈米材料居家用品，都是彭總監與明里團隊長年累積的結晶！

領航業界的舵手，攜台灣五金業前行

《專訪－蓋澤工業 總經理郭旭晏》

效法郭台銘，救客戶於水火

郭總經理十分欣賞郭台銘，能因著能力和機運，一路帶領鴻海成長為台灣最具影響力的國際型公司，而且有很多令人深刻的語錄，比如：「讓我們拯救水深火熱的客戶吧。」、「做生意就跟滾雪球一般，會越滾越大， 哪天滾不出來，就變成它滾你。」

郭總經理期許自己能夠像郭台銘一樣，努力將自己保持在最佳狀態！畢竟待在公司工作的時間通常都很長，就像是一場馬拉松耐力賽，必要時其實更是要抓緊片刻休息，利用短暫十分鐘的小憩，以求效率隨時在線。

讓公司健康成長、免於躁進陣痛

講到公司策略，第一點是經營問題，郭總經理認為誠信是企業取信於大眾的基石，不可輕易動搖，「競爭對手走過的路我們要不要走？有時爽一時，但會痛很久！誠信是看不到的東西，你今年這樣做，那你以後怎麼辦？很多只看到成長的量，但是忽略了成長的質，我們希望的是健康的成長，而不是成長後問題變很多。」

其次第二點，是人才部分，「我找的兩位同事都是在營建業 30 年以上經驗資歷的前輩，他們對自己業管的內容也都比我上手，事實上，我們的營運也因為兩位前輩的努力而大幅成長，我想找到對的人，讓他有發揮長才的動力，是我們目前努力的方向！其實每個人都有盲點，但我是採信任同事的作法、也替他們爭取不虧欠他們的薪水福利」進用資深前輩，讓公司業務更快上手，懂得用才、同時也惜才。

最後是運作的永續問題，盼能有穩健的體系，形成正向的循環模式「首先得重視對經銷商的經營與承諾，讓每一個經銷位置都能獲得相對利益，我們也會跟著經銷商與消費者一起成長，先種樹再乘涼，不求短暫績效但求長期健康營運。」

給客戶「Affordable Daily Germany」

其實郭總經理對德國與台灣的差異，著墨頗深，許多人會認為蓋澤工業是個非常昂貴的品牌，但在德國它其實是以高品質、平價為著稱，若與類似價位的台灣國產品牌相比，德國工業的成品絲毫不會遜色「真正去過德國的人會發現它物價不貴，在德國的大城市裡，房價扣掉基本工設後，每坪差不多 10 幾到 20 幾萬，柏林大概 30 幾，慕尼黑大概 40 幾，所以房價和高雄、基隆、汐止郊區一樣差不多，也就是說德國的房子其實和台灣相比不會特別貴。」

「德國的房子標準很高，用材很講究，然而台灣的房子這麼貴，但是為什麼配備卻是降級的？某種程度上來說，我認為只要買得起房子，就應該用得起我們的產品，因為這是一個相對應的提升。」台灣在超高房價的狀況下，材料品質卻比不上德國，依此，台灣的品質與價格之間並沒有相應的成長幅度，郭總經理認為這是個奇怪的現象。

若以兩國的差異為借鏡，也可以凸顯出品質優劣與市場需求的拉鋸已漸漸拉開，像是台灣的五金業、國產車業，在品質沒有提升的狀況下，市場已經不斷地萎縮，當消費者的要求提高了，必須提供相應的品質，企業才會生存「這就是成長，市場的兩極化，最貴的留下來，中間的不見了，剩下的最便宜。」

「台灣人要不是不花錢，不然會花的都要最好的，我們可以在3年左右，業績成長率是百分之兩百，當建商開始說今年的建案不多，可是每個人都挑剔得要死，只要維持去年的價錢，從國產變成進口，它會留下來，其他堅持用國產的，會讓別人覺得你沒有到這個程度。」其實市場的標準已經不同於以往，過去台灣工廠的思維應該要有所進步，唯有自我提升，才能順應越來越多消費者所需求的高品質，而不沒入市場的競爭洪流中。

公司－相扣的鐵鍊，做到一百零五才叫完整

如果要給年輕人建議，郭總經理一直強調勇於承擔的重要，接著開始在紙上畫圖，替我們講解一個他常在公司說的故事「我們公司每個人就像是鐵鍊、鍊珠，所謂的協作系統，這兩個鐵鍊之間，一定要有個交錯，但是公司的責任劃分常常讓你以為鐵鍊是分離的，讓你以為和同事間是可以清楚切割的，你覺得你把自己的領地做完了，就達到百分之百，同事也是這樣以為，但這只是讓你和對方的業務有接上而已。」

「真正該做到的其實是要一百零五，就是你還要再去關心一下同事，同事也要關心一下你，這樣子百分之五就是協作，有協作才是企業，如果每個人都想要做好自己的部分就逃跑，那這企業最後一定會分崩離析，因為鍊子不再是一條鍊子，鍊子一邊是責任一邊是利益，鍊子的頭是老闆，如果帶頭的老闆不確定每個鐵鍊都能穩固的環環相扣，利益是不會存在的，因為利益在某個環節就不見了。」

像是以前很流行的一本書《從Ａ到Ａ＋》，郭總經理認為Ａ是 100 分、Ａ＋是 105 分，多了 5 分才是企業，不然就是一家個人公司，建議年輕人不要害怕責任，才能夠在職涯上有所成長，藉由自己的努力讓位階還有職涯逐步攀升。

西方取經，德國工業精神的傳遞者

再者，以企業營運的面向而言，穩定且健康的成長，是郭總經理最大的目標，希望能將蓋澤工業打造成指標性的標竿公司，像是跑車就會聯想到雙Ｂ一樣，已經成為眾人心中的信仰，像是我有錢就是要買雙Ｂ，更有錢的話我要買保時捷等等。

公司營運的最大一個努力目標之一就是把最卓越的門控

設備、管理系統導入台灣本地市場；而在未來幾年的規劃，則是進行知識的傳遞，像是傳教士宣教一般，逐步地的把德國的門窗系統，導入建築與設計單位，也透過不斷地翻譯文件，舉辦研討會，讓台灣看見世界上最頂尖的門控概念是如何落實在日常生活之中。

此外，蓋澤也即將在台灣成立正式的分公司，讓原本的代理商更加成長與茁壯，逐漸地把原廠的營運結構帶到台灣，開始找在地人才，到 2026 年將會是一個很完整的分公司！

職涯就是將自己當成公司來打造

最後，郭總經理更不忘鼓勵各位創業者，要專注於自我經營的部分，甚至用企業管理的角度，將自己當成企業體全盤檢視！「每個人難道不是一個獨立公司嗎？以前我們念企管講企業的功能，生產、銷售、人資、研發、財務，哪個人身上沒有這個問題？此外，研發是我覺得最容易被忽略的一塊，因為很多人不願意學習，但我覺得這是人進步的一個絕對過程。」

德國蓋澤工業台灣分公司

· 臉書：https://www.facebook.com/geze.twn/
· 電話：0934000568
· E-mail：s.kuo@geze.com

採訪後記／謝・晨・彥・博・士

過去跟朋友們聊到汽車，不外乎是 TOYOTA、MAZDA，因為日系的車種品質穩定、好開，價格也算是一般中產階級能負擔的金額。但是在幾年之後，在和朋友們聊到車子時，大家都開口就是 1A2B(Audi、BMW、Mercedes-Benz)，可能是大家事業有成，累積了一筆資產，看事情的角度也不同了。大家追求的不再只是 CP 值，而是希望藉由進口車的高安全係數、與高品質的設計，來作為自我價值的外在體現。

蓋澤工業的郭旭晏總經理，也希望台灣能更加重視建築門戶系統的品質。台灣消費逐漸走向 M 型結構，要嘛用最便宜的，不然就是要求最高品質，而蓋澤工業在門戶系統的領域中就是 1A2B 的品質水準，因此市場的需求性已逐漸呈現，並反應在蓋澤工業去年倍數增長的營收。

工程與芳療的跨域人生

《專訪－ AromaGrace 芳療 創辦人 Silvia》

Aroma grace 理想生活的嚮往

父親的失智症，是決定投入創業的開端，但這僅止於理想的層面，而創業所要面臨的是更現實的問題，有了理想後，更應該尋找背後可以支撐的資源，以正視公司生存的問題，幸好過去擔任芳療師的經驗，為她提供了許多個案的基礎，基於以往客戶對自己的信任關係，只要釋出失智症研究的需求，就會有人提供案件，但這畢竟還停留在研究初期的階段，如果還要更進一步，Silvia 知道必須要做出另外的選擇。

「公司一開始開的時候，其實你是沒有什麼感覺的，直到後來你就會發現，欸！我現在是一家公司的負責人了，公司只要開了就要活下去！」

所以在 9 月開始經營線上商店，也成功賣出了第一個產品，以 10 年前的紓壓好眠系列，為商店建立起好的基礎，10 月底則開了現在的芳療魔法坊，「很幸運的是，一開始時就有一群基礎粉絲跟著我」因著過往當講師所累積的個案經驗、與人脈網，初期的創業歷程並沒有想像中的艱辛，在一步一步的過程中，漸漸將品牌創立起來。

Aroma grace 主要由兩條線支撐，一個是生活態度；另外則是嗅覺和失智症的研究，取自芳香優雅之意，源自於 Silvia 在當講師時所創建的名稱，一開始其實是以學堂的經營模式作為思考，想將之前在紐西蘭的經驗引入台灣，提供大眾一個更好學習芳療的平台。

「以前在薰衣草農場打工的時候，農場主人不管多努力地工作，在下午的時候還是會喝杯紅茶、吃點小點心，感覺他的生活似乎隨時都可以轉換成一個舒適的狀態，還是可以很優雅」那是 Silvia 想像中的芳香生活的樣子，於是在後期希望能將之重新塑造成一個品牌，體現出一個芳香生活的態度，讓大家藉由這樣的產品去過一個不一樣的生活！

迎向新南向的創業風潮

在 2018 年參加皇翔的百創圓夢計畫，也就是在這個過程中，開始接觸到新創團體開放的風氣，「我覺得新創是一個最有機會把新東西介紹給其他人，大家會用相對開放的態度看待這件事，也很幸運地在新創比賽入選並拿到十萬的獎金，有得到一些寶貴的回饋。」

Silvia 的品牌不只是傳統的商業模式，它其實還結合了精油與疾病研究，在新創領域這並不常見，所以成功引起了許多人的好奇，後期也持續推廣失智症研究、參加 InnoVEX 新創展等等，以不同的方式將失智症的議題做更多的開創，在今年則計畫與長照機構做更多的合作，其實長照機構裏頭有非常多的失智症長輩，所以投入這樣的領域就有其必要，因為失智症目前沒有藥物，在有非藥物治療的機會下，大眾的接受度也正慢慢地提高。

其實台灣的創業環境其實並不差，現在有許多人非常願意提供新創機會，在 2019 年的 InnoVEX 創業展，有個創投曾向 Silvia 說:「你就是在對的時間出來，現在有許多人，已經慢慢地發現工作不是唯一，也慢慢地發現五感裡的嗅覺有靈性的啟發，或是感受到生活的不同，大家開始接受自然還有香氣了」而品牌也開始走向新南向，已與馬來西亞簽約，未來則展望印尼與越南，而日本、法國等等則是已經開始有經銷商的聯繫，Aroma grace 正漸漸地走出台灣。

「新創圈有時就是賣一個夢想，但是這個夢想會不會實現你不知道，所以你只能堅持做自己認為對的事情，我得到的多是真實的回饋，只是目前還無法在醫學上量化，而如果你沒有初衷，或是因為看到太多太大的機會，你還是很容易會忘記。」在得到眾多機會的同時，Silvia 也沒有迷失自我，仍是以初衷作為一切的思考原點。

「當你有一個夢想在那裏，所以你會做更多可以去養你夢想的事情。」同時更嘗試著開發新的產品、做芳香教育的影片，以各式各樣的方法在台灣的芳療圈立足，雖然會與研究領域有所切割，但這些都還是離不開想要提供失智症研究更多能量的盼望。

如果再來一次，我選擇不要創業

提到能否給現今的創業家一些建議，Silvia 的態度偏向保守，創業歷程的艱辛，現在回想起來，仍是衝動之下的產物，「那時候好像也沒有想清楚就把公司開好了，當初太急著要在父親節開公司，但我發現如果想清楚之後，我應該還是會待在原本的公司，到底當初為什麼會那麼衝動？回想起來也沒有非創業不可的必要啊，大概是當你的夢想或是痛，在那一刻凌駕了理性的時候，你也許就會做出很衝動的事情。」當時因為非常迫切地希望能做個孝順的女兒，讓 Silvia 奮不顧身地投入與失智症相關的研究。

「創業其實失敗率很高，你會發現什麼樣的選擇都要自己做，一開始要摸索的都是我從來沒有遇到過的，以前在公司裏所有人都會幫我弄好，但現在，你不去做是誰要去做？這些事情根本不是我當初想要做的事情，每天都有人告訴你，明天、後天你可以把這件事情告訴我嗎？或是跟我說這些你只能自己做決定！」但因為已經做了選擇，就必須要堅持下去，如果要建議有創業想法的人，Silvia 強調莫忘初衷仍是相當重要的一點。

致力於安全與舒適的香氣

氣味已經是日常生活中很重要的一部分，但有時過度的香味更會形成公害，例如公車上面的香水味，很多時候會讓人感到非常的不舒服，但是因為呼吸的過程，氣味的好或壞，都是你無可迴避的，其實好的香氣應該是要讓空間裡面的每位成員都感到舒適才對。

「我們百分之七十五的顧客是女性，但是現在也是有一部分的男性顧客，其實另外也有顧慮到男性的觀感，像是優質好眠啊！平常可以在家裡，如果老公出差就讓他帶出去用。」公司到目前為止的產品都沒有客人抱怨過香氣，也代表著氣味接受度是高的。

以教育為原點，持續傳遞品牌精神

Silvia 的專長是治療失眠和壓力，在個案諮詢的勝率可以達到 9 成，對於長期使用安眠藥的人，從慢慢地脫離到開始學習睡眠，有很大的幫助！現在正積極地撰寫芳療書，新書將以芳香新手的角度切入，讓更多對芳香療法有興趣的人，可以在這本書中建立起最正確又完整的概念，明年也會開線上的芳療學校，將會用分眾的方式進行推廣，另外更會針對特別的族群做線上課程。

或許就如同 Silvia 所言，一開始是為了讓公司生存下去，去做了多方的嘗試，因而才將芳療領域的市場逐步地打開，但我們也看到了當初的信念是如何帶領著 Silvia 一路地走了過來，盼望在未來，失智症領域的研究能有更長足的進步，這也將是未來台灣高齡化社會的一大福音。

AromaGrace 芳療

・臉書：https://www.facebook.com/I.love.Aroma/
・E-mail：silviaspace@aromagrace.com

／採訪後記／

謝・晨・彥・博・士

Silvia 身為芳療師要協助客戶解決困擾，因此態度親切自然是不在話下，就連不是客戶的採訪人員也備受 Silvia 的呵護(笑)。因為知道我們是第一次來，怕我們找不到路，特意點起精油做為引導。當天因為下雨，也刻意準備一壺國外進口的茶，給我們暖暖身子。這無微不至的細心與體貼，讓當天的採訪過程相當的舒適愜意，感覺就像是與好友度過一段午茶時光。能有這樣處處為對方著想的細膩心思， Silvia 的個案諮詢成功率可以高達九成，可以說是毫不意外。

除了在原本的領域提供服務之外，Aroma Grace 還有另一個使命，也是 Silvia 當初設立這個品牌的初衷，就是希望芳療能在失智症的治療研究上取得進展。能夠獲得醫療界認可的量化數據自然是好，但任何事情都得有個開始，所以 Silvia 選擇與長照機構合作，以她最擅長的個案諮詢方式來找出突破點。

職人的工廠，品質的保證

《專訪－第一化粧品 副總黃國芬》

「我其實有去新加坡國立大學念 EMBA，學習後就重新開始梳理公司發展的脈絡，未來應該怎麼做等等，在學校也是因為其他同學有接觸到很多不同的產業，了解到有很多不同的應對方式。」

其實並沒有特別崇拜的創業者，很多人會提及國內外很多有名的企業家，像是張忠謀、王永慶等等，其實討論這些東西的實益不大，重點是你看見問題了之後，要如何解決，這不是單一的個人崇拜就可以。

對黃副總來說經營環境及情勢是多面向，亦是不停變化的！它的規則就是沒有既定的模式，你要靠自己摸索，路是自己走出來的，黃副總認為不同的公司所面臨到的問題都是不同的，規模、時空狀態、產業類別，甚至是領導人的個人特質，當中的差異都非常大，因為變數太多根本無從比較。

但也是有很多共同的地方值得學習，比如面對事情的精神、如何避免錯誤等等，所以每個企業家也都有可以學習的部分，端看你如何選擇而已，變成自己要去學習很多、梳理不同的脈絡、分析未來發展等等，每個企業家都有著不容易的地方。

「因為我們是家族企業，面臨到很多轉型的部分，每個階段都有不同的問題，前面是建立制度，後面則是要進行修正、再活化或是創新、增加產值等等；另外，在改變獎勵的制度後，也帶來另外新的挑戰；法規的修改，更造成新舊員工的差異，這不是大家都能夠認同，所以說團隊每個階段所面臨的決策和政策都會有不同要處理的事情。」

「以前可能比較安逸，不像現在這樣的改變後，需要這麼的連貫，所以我們也在和團隊做一個人力上面的大調整，你不做這樣的調整，外面的競爭越來越大，你不想辦法，也不行！」家族企業的轉型是一層一層的，必須內外兼具，不同階段要顧及到不同層面，但傳統產業對第一化粧品而言不是沉重的包袱，是一種能夠延續家族精神，創造差異和革新的產業。

用品質證明的第一化粧品

「早期我們堅持，不好的東西是進不了第一化工的！」黃副總霸氣地說，第一化粧品擅長用品質證明自己，你看到的就是我們的高品質。

如何和國外的品牌競爭、面對越來越多新創保養品牌的興起？是第一化粧品目前所面臨到的兩大問題，因為是傳統化工業起家，是化粧品原料專家，與國際大品牌們，他們利用大型廣告的行銷預算、或是名人代言的影響力加持有著很大的不同，第一化粧品仍然堅持深根著台灣的市場，也持續用優良的原料向消費者溝通，畢竟追求穩定的高品質，就是品牌的核心精神與理念。

另外，暫時並不會考慮經營形象品牌，這對於公司來說其實是另增加外一項的支出，所以第一化粧品選擇將行銷的成本省下來，讓消費者拿到最高品質的東西同時、也能享受著優惠的價格，以這樣的方式直接回饋給喜歡第一化粧品的顧客。

「堅持每一批出廠的產品都不含生菌、不含微生物，比台灣法規的控管要嚴苛很多，秉持著任何原料進來以後，現成產品要面對眾多的消費者，所以建立品牌之後，第一化粧品都更加小心，更加專注於品質的表現。」

「你要做產品很容易，但是你要堅持做一二十年不變是非常難的！」因為原料會變，所以你就是要做很多的研究修正，以維持產品的品質。

職人的工廠，品質的保證

2010 年第一化粧品為了確保品質，而建置了工廠，並配合著政府推動的 GMP，藉由管理系統的提升，將品質作更好的控管，目前工廠的品管早已遠遠超過政府的法定標準，「工廠的建置到現在快十年了，第一化粧品持續將制度不斷地進行革新，嚴格實行非常扎實的管理模式，這更讓許多國外的品牌，到台灣的工廠來取經，馬來西亞的政府官員、法國的國際美妝公司，大陸的美容協會等等，都有來交流參訪。」第一化粧品對品質的追求就是一種職人的堅持精神，不斷地投入建置的成本，穩定完整的程序，讓工廠的品質有目共睹，也支撐了品牌在國際上的知名度。

「其實也是有人嘗試要仿效第一化粧品的模式走，所以就是要持續地創新，現在工廠的建置和品質的管理就很重要，每次出場都經過非常詳細的檢驗，我們很強調讓客人用到安心的產品，拉回我們對原料控管的部分，回歸到我們的初衷，品質的要求要更小心，品牌建立後一步步都是不容易的！」

紮穩地基，面向國際

目前第一化粧品的理念主要成四個「品質第一、優質適價，專業用心、服務貼心」首重品質的穩定、同時也力求和環保的結合，至今更將門市據點拓展至全台各地，共有 18 家的營業據點，也提供 24 小時無休的線上購物服務。

「我們過去常跟消費者說，你不用選擇國際大的品牌，你要選擇適合自己的！」第一化粧品承諾給消費者要做優質適價的東西，但台灣市場人口數畢竟有限，就算達到飽和了就還是這樣，所以目前也積極進軍國際「我們要讓更多人用到第一化粧品的產品，但是未來怎麼做還是要進行更多的規劃。」像是馬來西亞或是日本等等在未來都會持續去開發看看。

思考管理就是我的日常

「管理建置、拓展市場，在很早期的時候，只有單一的店，後來因為有推廣的需求，開始開分店，有了磨合也製訂更多的規劃，服務的熱情和呈現的方面，所以要很多配套和教育，其實成效也不錯。」專業用心的追求，其實端看你如何在原料方面專業，如何給客人的解決方案，投入許多的專業和要求，以成為國際品牌為目標。

管理並非固定，而是要看資源和現有的東西去平衡，會有得有失，管理的部分不是一個人的事情，而是一個團隊如何有良好執行力的事情，從以前到現在，公司都會對新人有訓練的課程，對不同的部門和職位也都有不同的培訓，因此，在人事方面建構起穩健的制度可以遵循是非常重要的一件事情。

對黃副總來說經營企業就像是使命感，要看資源和所有東西之間的平衡， 一定會有得有失，但幸好有事先的規劃，讓整個過程中並沒有太多的試錯，以良好的系統維持團隊的執行力，是讓黃副總帶領第一化工從傳產走向第一化粧品的核心關鍵。

第一化粧品

- 官網：https://www.firstnature.com.tw/firstnature/
- 臉書：https://www.facebook.com/deCosmetics
- 電話：03-396-1234
- E-mail：service@firstchem.com.tw

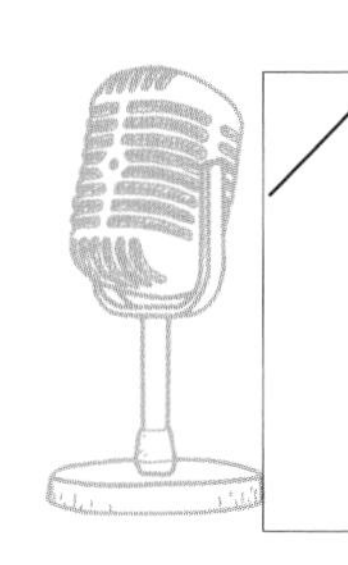

／採訪後記／

謝・晨・彥・博・士

化學、化工，對一般社會大眾是陌生的領域，尤其食安風暴更在台灣人心中留下深刻的陰影。但「第一化粧品」把化學融入到生活，讓民眾親身體驗，生活化學運用的正確觀念。在民眾教育上，「第一化粧品」付出了相當多的努力，在近幾年開始流行的 DIY 手作風潮中，我們也看到了成果。大家開始接受化工產品，及正確的化工知識，甚至願意自己買材料動手製作。

「第一化粧品」對品管的要求正如其名，經過層層的把關，唯有最高品質的產品，才能流通到市場讓消費者使用。高規格的品管遠近馳名，連國際知名的化妝品大廠都要到「第一化粧品」的廠房觀摩取經。

但高品質也意味著成本提升，但「第一化粧品」承諾消費者以合理的價格，獲得品質最好的產品以及專業貼心的服務。品牌經營的用心，已反映在客戶們的正面回饋與臉書粉絲頁絡繹不絕的熱烈迴響！

傾注熱情的生命企業

《專訪－龍巖集團 副總高淑娟》

融入美學與文化的企業改革

「這是殯葬改革的里程碑，象徵藝術無價、親情無價，我們希望在人的終點站，給後代子孫都是一個緬懷、一個追思，就像是全世界名人的博物館裡，讓我們的祖先住在精品的藝術裡面。」現在的龍巖，除了將殯葬業成功轉以企業經營的模式，創造穩定的公司成長，更讓生命產業結合藝術、傳承、與大自然的對話，甚至是對祖先的追思與尊重，為原本冰冷的殯葬產業增添了許多人文與情感的溫度。

提到創業的精神，高副總分享了兩位自己十分景仰的人物：第一是蘋果的賈伯斯、第二是日本的建築大師安藤忠雄。

因為賈伯斯把美學帶入科技，讓科技在追求效率的同時，也不忘記美感的存在，科技可以很便利、又很美麗，這也和龍巖想將藝術結合生命產業的理念非常契合，美學是人類情感上的昇華，追求美學更是嚮往人類精神的一種體現。

接著，是享譽國際的建築大師安藤忠雄，非建築科班出身的他，年輕時原本是一位拳擊手，後來改學建築，別人利用 4 年時間學完的大學專業科目，他只花 1 年的時間讀完，每天就是啃著麵包、在房間裡一頁一頁地唸，就算不懂也還是一直看下去，每天都唸到凌晨3、4點，白天再接著去打工，而在他 24 歲那一年，便利用打工的積蓄周遊列國，參訪經典的西洋建築，學習著從古羅馬到文藝復興、從巴洛克到矯飾主義等等的傳統建築語彙，這帶給他很大的心靈衝擊，最後則是以清水模建築為大眾所熟知。

攜手獲普立茲克獎的日本大師、建構世界唯一

龍巖集團與安藤大師合作的光之殿堂，劉偉龍董事長，曾於受訪中表示，龍巖非常珍惜與大師合作的機會，因此並沒有預算上的限制，只希望和大師一起打造世界第一、唯一的墓園，這是團隊的共同理想與追求，於是在這樣的前提下，共同邁向未來。

而大師也曾至真龍殿參訪，驚訝於當中的文化，與龍巖經營的用心，接著便很放心的接受此項合作，他認為這樣的規模，在日本或是在世界都非常地少有。

大師所設計的自然生態墓園，光之殿堂、光之迴廊、光之印象、光之丘等四個系列，都將在未來陸續完工，就像是歌德曾說的：「音樂是流動的建築，建築是凝固的音樂」，在大師所堅持的設計的「綠意、光影、水」的設計主軸下，相信未來的這些建築，都將構成動人的生命樂章。

交流是成長重要的養分

「人生最大的成長是透過工作當中的待人接物，透過與人互動所得到的回饋，讓你頓悟了很多道理；再來，龍巖集團這幾年找了很多所謂的 A 咖，像是與李天鐸老師合作等，在演講當中，我們就有很多的面向可以成長提升。」

此外，進修也是高副總增強自我的一個選擇途徑，藉此加強自我的管理知識「當時正值龍巖要申請上櫃，有必要將過去在龍巖的實務經驗整合成一個系統，剛好 EMBA 就提供了這樣的一個功能，也是因為這樣，在管理方面有個方法可以複製，效率可以更快、讓後續傳承將近 200 位業務夥伴更順暢，對工作上有更大的幫助，讓自己提升到高階管理者的位階。」

現今的高副總，管理著將近 200 人的業務群，外面是行銷服務的團隊，將龍巖的專業傳遞給客戶，但最難的是，內部管理團隊要溝通時應該怎麼做？坦白說，這是一場心理戰「最難的是，下屬覺得主管誤會他了！他覺得他不被了解，那其實以我們管理的高度，下面的人在做什麼，我們都看得很清楚，因為那些位階我們都走過了，這也就是剛才所強調的態度決定高度的問題！你高度夠的話，下面的人在做什麼你都看得很清楚。」

「傾聽夥伴的聲音後，經過共同討論，請他提出方案，再加上我們的，融合之後這樣的過程很重要，兩人在對質的時候一定要有人各退一步。」有時候，讀懂了對方的情緒，事情往往會有更好的發展，這也像高副總曾經提過的，人生五度「高度、深度、廣度、維度、溫度！」，適當地對別人釋出溫度，同時也體現出自己的高度。

真龍殿－做出屬於東方人的文化

在訪問的尾聲，高副總帶領著我們參觀龍巖裡知名的

「真龍殿」。

站在制高點往下一望，是非常良好的風水格局「從左邊被大屯山包覆，向龍脈一樣延伸到前面；正前方是台灣海峽，這就是俗稱的『山管人丁、水管財』，如果天氣好的話，還可以看得到海面上的船隻。」

「從下面的牌樓到這裡來，是步步高升的概念，前面有兩座雙佛殿，代表觀世音菩薩、地藏王菩薩的守候。而從樓梯走上來，則是三寶殿，前面有兩位銅獅，公的踩繡球，代表事業可以定江山；母的踩小獅，代表後代子孫可以代代相傳，綿延不斷的意思。」

「我們希望把塔蓋在蓮花瓣上面，水就是守護的意思；從銅獅走過來 66 階，是大順之意，龍巖建造的是具有人文紀念的博物館，建構一個好的環境，讓子孫來緬懷的時候，能感恩祖先的恩澤，且願意久留。」

接著是周圍的石雕牆，由下而上的每一層都有不同的涵義，也象徵著人類文明的結晶「在高度 5.36 公尺的石雕牆上，第一層是不可考的野史，上頭刻畫著三國演義、西遊記、紅樓夢等故事；第二層是歷史，從盤古開天、夏商周 .... 唐宋

元 ..... 直到現今，整整繞塔一圈，接著配合百獸圖，仔細看每個獸的字型都不一樣；再上一層則有 99 條龍，每一條龍的姿勢和神韻都不一樣；而最高的地方是全世界的歷史宗教故事，象徵道教、回教、基督教的誕生」這是一個藝術館博物館的概念，是真龍殿的附加價值，而遠遠看就是蓋在一個蓮花壇的概念。

用冒險突破平凡

最後高副總用「如何讓你自己從平凡到非凡？是你要去冒險，不要委屈而去接受平凡的生活。」替訪問作了總結，從高副總的職涯歷程裡，我們看到相信自己的重要性，雖然會有很多無助的時刻、甚至常常覺得孤立無援，但只要記得這樣的感受，讓每天的自己都進步一點點，一定會漸漸好轉，畢竟「會邊哭邊吃飯的人，能夠活下去。」

龍巖集團

· 官網：http://www.lungyengroup.com.tw
· 臉書：https://www.facebook.com/lovelungyen/
· 電話：02-2660-2028

／採訪後記／

謝·晨·彥·博·士

早年在台灣，喪禮總是瀰漫著極度悲傷的情緒，甚至還能看到五子哭墓，越是嘶聲力竭越表誠意。但是，除了悲傷的情感，喪禮應該還包含對逝者生前的緬懷，以及為其見證人生終點的莊重、安寧的儀式。

龍巖集團，將殯葬結合人文藝術、融入自然元素，讓逝者有一個安寧的環境，也提供家屬們一個共同緬懷追思的空間，為台灣殯葬業開啟了新的里程碑。來到龍巖在三芝的真龍殿，沒有傳統墓園的陰森，反而感受到天地靈氣所帶來的舒暢感。進入到內部空間，感受到的除了莊重、寧靜的氛圍，其典雅、舒適的設計，也能讓前來此處的家屬心靈獲得平靜。

這次，我們有幸欣賞日本建築大師安藤忠雄親手設計的光之殿堂展示影片，其融入自然的建築，以及讓家屬能靜心緬懷逝者的貼心設計，真的堪稱世紀之作！我們更感受到龍巖帶領台灣生命產業前進的用心。

熱情勇膽的青年創業家

《專訪－合慶室內裝修有限公司 設計師Vida》

以書自我思考、自我反芻

身為室內設計師的 Vida，有著非常欣賞的跨領域設計師－陳彥廷，所以今天非常興奮地想向各位讀者們分享，他所寫的一本書《設計獎道理》。

陳彥廷教授是 Vida 唸台灣科技大學研究所的指導老師，也是台灣百大設計師、TED 演講者、誠品暢銷作家、獲 100 餘項國際設計大獎。書裡最重要的一段話「 Be true to your work and your work will be true to you。」你如何對待你的作品或者工作，它便會反饋給你多少。

「要贏得別人的尊重，要夠專業才行。」已唸了 9 年建築系、工作經驗 10 年的 Vida 認為一個行業至少要待 20 年才能算行家，室內設計算是一個多領域整合的行業，一個房子裝修需從拆除、泥作、木作、油漆、鐵工…等，至少有 12 個以上不同工班，工種不同專業項目也不同，施工工法也因地制宜，身為設計師除了要懂才能監造，除此之外設計師該具備的技能例如材質的使用、人體工學尺度、相關電腦軟體、建築室內設計相關法規，也必須不停更新資訊，學習相關的技能。

目前 Vida 努力學習花藝及軟裝佈置，也希望未來的案子能夠用這項專業，讓作品更加驚艷。努力精進，會反饋在你的作品和工作，也因為如此，能夠很幸運在這八年有穩健的案量。

回歸設計基礎專業的原點

「還是一人工作室的時候，所有事情可以自己從頭到尾，但隨著業績增長，時間越來越不夠用，有些客戶希望像過去一樣從洽談到設計及監工都由我一個人來做。」

「我相信很多設計師會遇到這一類狀況，客戶因為信任，所以希望從頭到尾都由你來處理，交給其他人似乎感覺就不對了！但我認為應該將設計及施工做專業分工，只要有夠專業的人來幫你管理工地，並保持通暢的溝通管道，其實就可以解決。」關於公司的未來，Vida 希望將時間收斂回來，回歸到設計的基礎專業上，才會有充裕的時間，提供客戶更多設計領域上最專業的建議。

彼此互信才能事半功倍

此外設計的領域，與客戶間的溝通往往是案件成敗的重點，設計師如何在第一次見面拿捏好分寸，往往也考驗著說話的藝術。「通常初次與客戶見面很重要，你必須在短時間內，讓對方覺得你很專業且對你很信任，才會有後續的討論。」

「一開始客戶會找中意的幾間設計公司來討論，當然有時候也會有只屬意你的客戶，不過這樣狀況比較少 (笑)，基本上都還是會貨比三間，所以每個案子得案機率可能只有 30%，不論是專業度、溝通技巧、或是價格都非常重要。而我們也期待除了拿到案子外，更重要的事情是尋覓一位願意信任我們的客戶。」

「這行業會有難拿捏的狀況，例如某一件事情你該不該請客戶作主，還是自己決定就好，有些客戶會認為我已找了設計師就全部由設計師來處理，省了麻煩事！但有些客戶相反，他希望無論再小的細節都需要跟他報告再行施作。但是如何去考量？假設問得太多又怕客戶覺得麻煩，問得太少又怕客戶覺得不被受到尊重，也許光這些細節就會讓雙方很辛苦。」所以客戶和設計師彼此信任，就顯得非常的重要，有了默契後，才能將問題慢慢地解決，因此如何透過溝通讓客戶相信設計師，是牽動整體設計流程中很重要的一環。

以正面態度鼓勵員工成長

「我常常對員工說，以前我在當助理的時候，每天被罵是很正常的事情，因為當時的室內設計業，老闆跟員工關係就像師傅跟徒弟，基本功雖然被訓練得很好，但也會變得很畏縮怕事不敢作主。」

所以現在對員工選擇採取鼓勵的態度，以正面的話代替嚴厲的批評，就算指出錯誤，也是僅對事而不對人，目前公司裡面有很多都是剛從學校畢業的新鮮人，Vida 就常常擔起一個大姊姊的角色鼓勵著自己的員工，也常向他們鼓勵創業的好處，期望有一天他們都能出去獨當一面。

「與業主開會時必須有自信心，但前提是你必須拿出很棒的作品，就算客戶是你的長輩或者位階很高的人，只要用專業對話，就可以和對方平起平坐。」有時因為新鮮人比較沒有自信，Vida 就會以這樣的方式鼓勵新進的設計師，要對自己的專業領域有信心，要抬頭挺胸，面對客戶時不要過度害怕，畢竟如果連設計師都畏縮，那客戶怎敢把如此重責大任託付給你！

此外，對於公司的未來，Vida 認為開設公司的初衷“是在有限的預算也能做出好的設計”，我覺得每一個案子都有不同的挑戰點，先以建立口碑為主，不會去特別強求規模。」

Vida 謙虛地說，自己在管理方面沒有很專業，需要學習更多相關的知識，目前只能單純經營，「我覺得當老闆比起當設計師困難很多，需學習的、考慮因素比較全方位，個性上也必須學習果斷冷靜處理任何事情，也許因為左腦較不發達，我認為自己比較不像這類的人才 (笑)。」

創業路上請以誠待人

「其實創業會遇到很多突發狀況或者瓶頸，但不論任何事情”堅持下去”是不二法門，如果選擇逃避，過去投入精力、金錢或者時間其實都是浪費。」當我有放棄念頭時，我都會這樣勸自己。

認真、感恩、謙虛，可以說是 Vida 創業歷程的最佳註解，連受訪時，也準備了非常詳細的資料以及文稿，讓我們感受到 Vida 敬業的態度，或許這就是她一路上能遇到這麼多的貴人相助，而讓創業更加順利的原因了！她非常希望能將自己的故事分享給更多人，以前曾經得到的鼓舞，有機會的話更想傳遞下去。

YUHAN WANG

IS A

DESIGN HERO

Yuhan Wang is a design hero. Yuhan works hard everyday to make the world a better place with good design. Yuhan is an innovator, a visionary of good design.

[illegible]

Discover More Design Heroes At:

[illegible]

[illegible]

Fuji Flower

by Wang YuHan

[illegible]

[illegible]

LA VIDA

INTERIOR DESIGN CO.

合慶室內裝修設計有限公司

- 電話：02-2657-5757
- E-mail：vidahanhan@gmail.com
- 官網：http://www.hecingdesign.com
- 臉書：http://www.facebook.com/hochidesign/

／採訪後記／

謝・晨・彥・博・士

許多有裝潢需求的人，都希望最後能夠看到的是自己心中理想的家。畢竟對一般人來說，買房子不像逛街購物說買就買，接下來這屋子可能陪伴自己與家人大半輩子，所以總是希望看得順眼外，裝潢的用料也實在。

合慶設計的創辦人 Vida 便是抱著這樣的同理心，認真地對待每一位前來拜訪她的客戶。因此從初期的設計規劃與溝通、到材質挑選與現場監工等，每一項細節都親力親為，就是希望客戶的每一筆預算都能用在刀口上，完成客戶的期待。她半開玩笑著說「設計師並非藝術家，能完全天馬行空、無止盡做自己的設計，應該是回歸實務面，有多少預算做怎麼樣的設計。所以我反而是擔任阻止業主花錢的角色」這讓不少企業、名人願意指名請她設計，甚至回頭介紹客戶給她。

但在這一次訪談中，我們已了解到，在品牌經營的部分，Vida 這種站在客戶立場認真對待每一件案子的精神，已替合慶設計建立了不可動搖的品牌形象。這種由客戶信賴所建立起來的口碑，是比任何的行銷文案都更有說服力的。

一起來場高爾夫輕旅行！

《專訪－高富網（高球旅遊） 總經理王成彬》

不喝酒、來運動的健康企業

要經營一個高爾夫球隊在以前其實是不容易的一件事情，要懂人情世故、要交際、要爭取隊長的重視等等，但是一般的客戶很難靠這樣去經營，所以王總經理分享了他最欣賞的企業家－郭台銘曾經講過的話：「一個成功的企業家，為什麼一定要去喝酒才能做得到業務，你為什麼不能去運動？你一定要去跑酒店嗎？」這也激發了一個新的想法，王總經理開始思考著，為什麼一定要做大型的團體，難道小型的團隊就一定不行嗎？

後來就發現其實台灣很多大老闆的業務都是在高爾夫球

場完成的，所以就開始尋找，於是有了台灣第一個四人成行的高爾夫團，其實，早期正規的都是十幾二十個這樣出去，但以一般打球來說就是四個人，那就一起出去就好，雖然一開始成本很高，但是經過各種協調後，也是能有解決的方式，後來也應證了這樣的做法的確非常成功。

用創意創造行業先例

「我做了很多創意的事情、很多莫名奇妙的事情，像是我派導遊啊，用通訊軟體控團，客人在幹甚麼我通通都知道，好像我現在就是在監督一個人，只差沒有監視器而已啊！（大笑）」

「以前沒有人在用 LINE 和客人建立群組，以前都一通一通打電話，電話費都嚇死人，之後我就想說我幹嘛啊？還要請小姐一直打電話，打到還會被客人罵，我又不是願意打給你，可是你不回覆就是要打給你啊！那我就是想說現在既然大家都用 LINE，乾脆 LINE 的人就全部集中成一個群組開始作業，不回應的再打電話就好。」

「也把整台咖啡機，直接放到球場去，讓打球的客人可以喝到免費的咖啡，也有人問說會有人服務嘛？我想說我們有車模啊，後來就請車模煮咖啡給客人喝（大笑）」這畫面想起來也是很有趣，王總經理總是打破常規，做了很多會顛覆大家既定印象的事情，也有很多同業會因此開玩笑，如果要打高爾夫球團，遇到高富網就沒戲唱了。

分工專業化，年輕人可能學不到東西

提到創業過程中遇到的困難，更多的其實是台灣整體產業的問題，畢竟服務業已經越來越競爭，而同業間的距離也越來越小，為了搶業績、客戶，引發了諸多惡習，像是窺探對手的營業祕密、離開的員工出去競業，於是已經有越來越多的公司，為了避免上述的情況發生，開始會選擇將自己的專業留一手，不要讓員工有獨當一面的機會，因此內部分工變得非常細「所以對現在的年輕人而言，會學不到東西，但是老闆也只能這樣面對，造成你永遠只會一樣。」

「我有朋友賣牛肉麵，得特色金牌獎，回來的時候，他的師傅就被挖走了，現在啊，煮牛肉的只會煮牛肉，和麵的就只會和麵，為了防止其他人偷學，而最關鍵的東西就留著自己用，這聽起來或許很好笑，但你永遠就只會這樣。」

「我不想教了，我以前也是會教人，但現在就比較不會了，徒弟教出來後如果就都這樣出去，就變成我不敢再教。」

接著話鋒一轉，王總經理想到過去曾經幫助過自己的貴人，開始強調感恩的重要，因為現在的趨勢，造成許多公司多半選擇保留專業，但是在過去，因為大多數人比較懂得感恩，所以才能將所學持續地傳承下去「現在的年輕人要學感恩，我最感恩 17 歲帶我入行的師傅，還有 SARS 過後願意幫我的人，讓我重起爐灶，找一個節奏去慢慢做起來，沒有這樣 2 個人，我還沒有今天，重點是我還不跟他們搶生意，你做你的，我做我的。」

人性的自私造成企業出走潮

此外，很大的問題其實是台灣人的劣根性，許多人尚且停留在客戶最大的壞習氣裡、或是企圖貪圖蠅頭小利，不尊重專業，消耗企業成本「台灣的企業會出走，人性的問題很大，你都要賺人家的錢，但你捨不得錢給人家賺，老是說別人賺你錢，你有沒有想說你也賺別人的錢？就是一個食物鏈嘛！你把循環的其中一個部分切斷了，企業就會出走」

「我會幫你但是你要付處理費，這是服務，使用者付費的概念！你可以說我不禮貌，但這是事實，你要叫別人幫你做事情，你就要付出合理的代價，要去教育客人，有時順路是可以，但是有時候是刻意就是不行。這樣的服務有甚麼意義，為什麼不互相一下？人家才賺你多少錢，所以說台灣消費者的習慣不好，太貪小便宜了。」

把同事當親人的扎實經營

而在公司的內部管理部分，王總經理更像是一個大家長一樣，帶領公司的人一起前進！畢竟，在旅遊業沒有辦法賺到非常得多，但是賠償一定都不是一筆小數目，在毛利不高的狀況下，教育員工是必須的。

「要如何減少風險就是要靠教育員工，不停地曉以大義，如果是出了問題，就自己拿錢出來賠，我絕對不會幫忙，一開始就這樣說的話，對方就會知道，然後就會找到好的人留下來，寧缺勿濫，其實跟同事相處的時間是很多的，就是和同事當兄弟姊妹，把公司當成自己的企業來經營。」

另外，知道自己的企業文化，也是管理者要注意的，因為這會相當地影響到管理的方向「大家都是兄弟姊妹，我不會讓你賠錢，所以我盯著你，你在幹嘛我都知道，你講錯了我可以馬上阻止你，這不是監視，而是我可以阻止你，這是風險控管，管住了，至少員工不會出現問題，如果出現問題誰管你，通常就是員工負責。」

「就算你要賠錢，不要隱瞞事實，不要隻手遮天，因為你瞞不住，你沒有那麼大的能力。」雖然語帶嚴厲，但能感受的到，王總經理對員工的教育方式，非常扎實，沒有任何模糊地帶。

用口碑突破競爭夾縫

目前公司已經將業務拓展至廈門、珠海、泰國、馬來西亞等都有公司，每位員工都經過嚴格的篩選，大家都非常有為，協助公司在國外的業務；而未來則希望能創造更多機會，就是如何在夾縫中求生存，以度過企業最難的部分，也是所有的企業都必須要非常專注的部分。

「我不吹牛，讓你去球場看，我開發這些球場，讓更多人享受到，看不到的東西，我會建議上游，我就是這樣保持我的專業，以台灣現在的狀況，快要逼著我們出走了，我只是深愛台灣，我走不出去，再怎樣這裡就是我們土生土長的地方。」立足台灣、堅守專業、接著放眼世界，是目前王總經理對公司最大的企盼。

高富網

- 官網：http://www.golfertour.com.tw/
- 臉書：https://www.facebook.com/golfertour/
- 電話：02-2509-0971
- E-mail：service@golfertour.com.tw

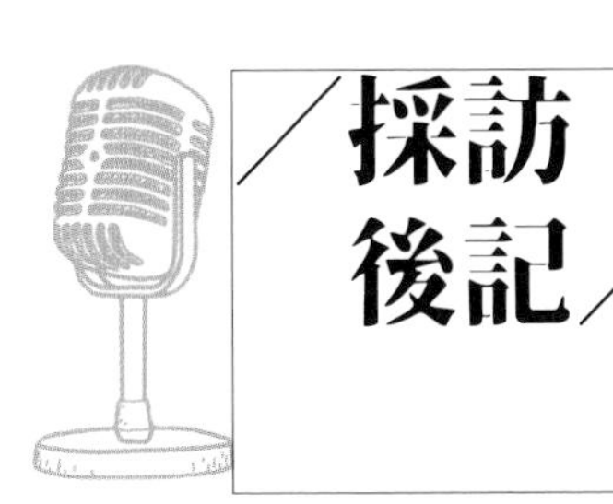

／採訪後記／ 謝・晨・彥・博・士

台灣旅遊業自從 SARS 後便一路走下坡，加上網路旅遊平台的快速崛起，更壓縮了傳統業者的市場，新創與傳統的競逐，是我們這一世代正在面臨的變革。不過在訪談過程中，王總卻老神在在地表示，這一切來得其實並不突然。

當搜尋引擎問世之後，王總就認為接下來很多產業將會受網路科技的影響，但他並不抗拒這樣的改變，反而領先業界創立旅遊網站。社群平台問世後，王總也馬上將其納入到公司內部的管理系統。不斷接受新的事物，並將其融入到自己經營的事業，公司沒有被時代的洪流所淹沒，靠的就是王總那過人的市場洞察力。

即便現在網路旅遊平台相當發達，許多客戶也開始會自己制定行程，但是遇到球場方面的問題，還是會請王總協助處理。與客戶、球場之間長年建立的信賴關係，不但讓高富網在這個產業立於不敗之地，同時扮演著球友與球場之間連結的橋梁。

令客人安心的家族好水

《專訪－源全淨水 董事長楊宗穎》

源全淨水公司，提供租賃式的淨水器服務，讓顧客只要定期支付租金，之後全部的檢修、保固服務都可以交由公司來負責，藉此可以免去後續的各種疑難雜症，不用擔心在裝了濾水器之後，發生了不會更換濾芯、或是臨時找不到人維修的等等問題，因為大家的這些擔憂源全已經都替你想好了！

讓顧客安心喝好水

已經成立 40 幾年的源全淨水器，從楊董事長父親那一輩開始，在高雄在地即擁有相當好的口碑「便宜、安全、服務好，因為有這 3 大主軸，才有機會可以讓顧客用到 40 年這麼長期。」，這麼多年以來的目標就是希望提供給消費者安心的飲用水，一個可以喝的安全好水，讓顧客喝的安心，更用得安心！

在訪問期間，楊董事長也親自帶我們去參觀，在公司裏頭很重要的一台機器，可以說是扮演了在濾水器中的關鍵角色「其實秘密就是這台清洗機！它讓濾芯透過這台機器可以再生，一般濾芯在使用過後，正常來說就會失效，但是用這台就可以延長濾芯的效用。」

「我們是環保的公司，將用過的濾芯集中到裡面，有清洗的動作之後，出來就會跟新的一樣，可以繼續使用，像是一個再生的概念，會再產生一個像是全新的濾芯，等於收回來再重新處裡之後，下次就可以給客戶使用。」

「所以這就是能降低成本的企業的一個核心技術。其實再生原理大家都知道，但是重點就是清洗比例，這是很多人不知道的秘密。」

顧客的感謝就是最大的感動

「創業的過程中，最喜歡顧客說：『我覺得用你們的產品很方便，不用擔心水的問題，接著時間到就會來幫我們更換濾芯。』」

接著，楊董事長和我們分享一個他在與顧客互動間所發生的真實故事，「最感動的是一個客戶，已經提水提了快 20 年，家裡住在舊式的公寓 3 樓，有一次在他妹的房子看到我們家的濾水器，就問了這是哪家公司的濾水器？因為他妹妹也是我們公司 15 年的客戶，之後在安裝的時候，就一直感謝我們」這位顧客因為過往長年提水的習慣，已經造成腰部不可逆的損傷，而在知道有公司可以提供濾水器租賃的服務，能夠免除經年累月提重物的辛勞後，因而感到非常的欣慰。

「有時候顧客花了錢買濾水器，但不見得是符合他使用上的要求，而一次已經花這麼多錢了，之後該怎麼辦？所以租賃就是會讓你分開負擔，每個月都會有各方面的保障；而買斷的話，你就要去思考濾芯、不會用、用錯、找原廠等等問題，其實很麻煩。」租賃式淨水器，許多保固都包含在月租費的部分，而每個月定期的維修，也讓公司和定期顧客都能因此建立起良好的情誼，與顧客間的相處，更是公司能營運這麼久當中很重要的一個基礎。

以富爸爸創造富人思維

羅勃特 ・T・ 清崎（Robert T. Kiyosaki）是楊董事長非常崇拜的作家，其所著的富爸爸窮爸爸一書更是長期盤據商業書籍的銷售前段班，當中的許多概念，顛覆一般人對財富的思考方式「富爸爸把世界上的人分成四個象限，有的是窮人、有的是富人，那如果我們要做一個事業，要如何讓錢自動流進來？當我承接爸爸的事業後，發現爸爸的工作和這本書的理念非常符合，所以我也還蠻欣賞我爸爸的。」

也就是說，租賃式的濾水器服務，在某種程度上與富爸爸當中創造現金流的概念不謀而合，因為水是民生必需品，特別是在高雄地區，濾水器更是家家必備的存在，「早期做濾水器是蓬勃發展的行業，因為高雄的水質不好，所以和水有關的產業都可以做得不錯。但是後來引進太多相關的產業，像是 RO 的系統，是目前世界上最厲害的濾水設備，濾出來的水接近純水，可以過濾細菌和水中的雜質。」

然而，在說到這的同時，楊董事長更是不忘和大家強調，喝水的正確觀念「但這並不適合給人體飲用，因為其實我們喝的水裡面還是要稍微有一點微量元素比較好，不能全部都過濾得非常乾淨。」

「純水早期是用在醫療和工業上面，早期在資訊不發達的時候，有人在國外看到就感覺很厲害，於是引進台灣，那在早期民智還沒有開化的時候，大家就覺得這樣的水很好，但這是錯的，只是現在很多人還是停留在這個概念裡。」

改造企業體質，擴大市場

「把企業社改成有限公司，因為只是不想要只侷限在高雄的一個小公司，想要拓展至全國或是全世界，我想要把資本額拉高，那之後會有資金需求，所以必須要和銀行有資金上的往來，就改成有限公司了。」

「差距不大，也才改 2 年啦，只能說是目前努力的方向，從開始到現在大概有 5、6 年了，其實水資源已經不再像是有商業秘密的準則，裡面的原理大家都知道，只是說每家的營運方式都不一樣。」

「我遇過我的員工向我學了技術之後，去了其他公司和我開了同樣公司的服務模式，也提供出租的淨水器，但是換了名號。」

「最重要的核心應該是服務態度，應該怎麼去創造其中的差距，其實我們的服務，基本上大同小異，主要是公司長久以來顧客的認同感，而且也都能達到顧客的要求。」面對過往員工的競業行為，楊董事長選擇專注於公司的服務態度，去面對可能越來越競爭的市場，畢竟若客人的黏著度夠的話，其實也不用太擔心。

走一輩子的創業路

訪問的最後，請楊董事長用一句話做總結，「我覺得創業是一生中的事情，如果你的事業可以跟著你一輩子的話，我覺得你就受用無窮。」創業不只是人生中的一小階段，如果你能挺住這當中的艱辛，相信它的能量足以帶領你的人生前進，創造另外的高潮迭起。

但是創業其也更是一件十分微妙的事，有時就像是另外一種圍城「裡頭的人想要逃出去，外頭的人想要擠進去。」就端看你用怎樣的態度去面對它而已，希望能夠透過此次的訪問，提供給更多對創業有興趣的人，有那麼一點方向、甚至是一點希望都好，讓各位在創業這條路上走起來不是那麼的辛苦。

源全淨水

- 官網：http://site-1678807-2856-3285.strikingly.com
- 臉書：https://is.gd/Y04uYG
- 電話：0920-153-515
- E-mail：game8482@yahoo.com.tw

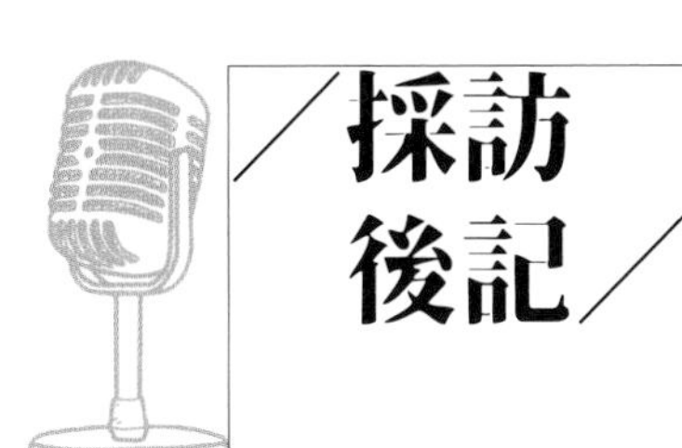

採訪後記

謝・晨・彥・博・士

喝水，對人們來說是一件自然不過的事，但對於台灣水的品質，大家又掌握了多少，真的只要把自來水煮滾就可以飲用了嗎？

這幾年，台灣的家庭也開始加裝淨水器，希望自己家人可以更安心的使用水資源。不過，大家對淨水的知識是否足夠充足，哪一種淨水器才是真正適合自己的需求？有時為了省錢自己 DIY，反而需要耗費更龐大的時間成本。我想在繁忙的現代社會中，時間比任何資源都更有價值，因此在這類高度技術需求的事情上，通常我選擇相信專業。

源全淨水，長年服務大高雄地區，以專業、高 CP 值的服務，提供淨水器租賃並同步為客戶們評估安裝、保養設備以及更換濾心，嚴格把關過淨水的品質，讓客戶們可以安心飲用家中的飲用水。貼心的服務，更深得客戶們的信賴。

未來實在是太難又太令人期待了

《專訪－聚財網 執行長陳志維》

聚財網除了提供投資人在網路上能有個資訊交流的平台，另外也從事金融類書籍出版多年，今天我們來到「聚財bookstore」，在這裡目前有書籍的銷售服務，此外也有不定期的一日店長活動，讓聚財網的讀者、或是對金融書籍有興趣的大眾，都可以在這裡找到非常豐富的資源。

毫不設限的出版新嘗試

其實早在 2005 年的時候，陳執行長就有將網路上的文章改成實體出版的構想，然而當時出版社的風氣並不像現在這樣開放，僅是素人背景的專欄作家，很少有出版社有意願幫忙出版，所幸當時萬寶周刊的朱顧問，給了聚財網一個機會，讓第一本書得以順利出版。

但第一次的出版，並沒有像預料中的作出一番成績，相反的，賣得並不是很理想，也因此陳執行長就不好意思再去麻煩出版社的朋友，於是就開始了想要自己做一間出版社的念頭，「試著去找印刷廠、幫忙編輯的單位、經銷商等等，因為我的公司沒有任何人有出版背景，所以我的出版當然跟別人很不一樣，因為我也不知道別人是怎麼做（大笑），我們就照自己的想法做，反而做出自己的風格，也因此顛覆了很多人對商業書籍的想法」在這樣的誤打誤撞之下，創造出許多在金融界裡的經典書籍，讓我們在台灣十分幸運地就可以讀到第一手且最親切的資訊。

作者的理想就是我們的目標

接著，陳執行長開始向我們一一介紹，公司各系列的出版叢書，一開頭就非常謙虛地表示「其實我們也不專業、沒甚麼意見，就希望尊重作者而已！網站就是一個平台而已，書籍基本上就是依照作者的意見，盡全力達到作者想要的結果，所以竟然就變成一本很有特色的書！」

「封面大部分都是作者的想法，除非他沒有意見，就由我們依照他書的內容作設計幾種樣式，讓作者挑選。」《The Answer 答案》、《股道無間》等書的強烈的視覺設計，更是在第一眼，就吸引到我們的目光。

此外這當中必須要提及的是，黃國華的《台北金融物語三部曲》，他是台灣極少數的商戰小說家之一，三本書都是以同一個主角貫穿整個系列，讓讀者彷彿可以親眼見證到他是如何從底層的交易員持續向上攀升，且在身處於資本主義的貪婪進程裡，不停地對抗與屈服的循環辯證過程，黃國華的小說，確實非常坦承地向我們揭開了在金錢迷霧裡競爭到血肉模糊的世界。

適時調整面對變化的趨勢

但要將公司的營運版圖，從網路經營跳脫到出版產業，這中間當然也經歷過一些試錯，而面臨著社群媒體的興起時，聚財網就開始警覺到流量開始轉移的風向，種種趨勢都讓陳執行長必須要逐步地調整新的經營方針。

「像在我們這邊的作者可能就不一定要在聚財網，因為說不定在臉書的曝光更好，後來為了要拉廣市場，就開始做周刊，像是我們曾經成立過聚財周刊，做了一百集虛擬的在網路上，但後來就覺得太辛苦了，網路文章還是在網路上看就好，不用再集結成一個周刊，所以就縮編了。」後來更決定將公司的資源聚焦在社群上，其他的事情、媒體、軟體等，都盡量用合作的方式節省資源，所以整體的營運也是一直在邊走邊調整的過程裡持續前進。

也因為公司的網頁創建得十分早，有些背後的建置不一定跟著上現在的手機、軟體的頁面，所以要如何跟上時代是一大考驗，這是相較於其他新創公司而言很大的難題，要花更大的成本去度過這些過渡期，才能讓公司永續地經營下去。

追求效率的扁平化管理

在這個不停變動的產業環境裡，陳執行長採用扁平化的管理，暢通與各部門間的溝通管道，降低與員工間交流的成本，就可以直接將任務分發下去執行，這其實在早期員工數還不多的情況下，事情比較單純，大家可以很快地協力運作；但在公司規模擴張之後，事情越來越多，現在則是透過通訊軟體去做很好的管理，彼此即時支援，以達到最佳的溝通效果。

「基本上我們是採全信任的方式，我覺得把事情做好是最重要的，而不是看起來很認真，就是想辦法在工作時間內達到最大的效果，公司都是準時上下班，我們的公司就是這樣。」

此外，陳執行長也選擇開始將公司的一些業務交由員工們去運作，自己則專注於了解新的事物，諸如台灣的金融業、證券期貨業，甚至是海外的趨勢等等，選擇站在市場的第一線，只將最新的金融資訊帶給大家。

「本來一直覺得把自己的事情做好就好，但後來發現外面的變化很多，我自己就是了解一些新的事物，也談了很多區塊鏈的東西，這些新的運用，希望在新的東西上面，我們可以掌握第一手資訊，讓大家去了解。」

未來實在是太難又太令人期待了

提到這裡，大家不禁好奇，聚財網應該要以怎樣的態度去面對如此詭譎多端的趨勢？只見陳執行長毫不猶豫地回答了「我一直沒有辦法規畫太久，一兩個月都很難，因為每天都一直在變，都會有些新的事情，像區塊鏈的應用，每天的變化都很大，還有網路銀行，在法規上有太多限制。」

但是，未來同時也令人十分期待，「我覺得可以做一些突破，這些都是我們應該要去努力的地方，比較新創的地方都可以去做嘗試，就是我們可以連結 20 幾歲的新創朋友，又可以連結 50、60 歲比較有資源、經驗的前輩們，我可以把他們串在一起看有什麼新的發展？」

緊接著，我們也談到，在今年 8 月，陳執行長也有加入北科大吳牧恩教授籌劃成立的「台灣量化交易協會」，希望將量化交易推廣於台灣市場，並將正確的交易觀念傳達給投資人，此外，更積極與國外機構進行交流互訪、建立交易事務認證機制，幫助對量化交易有興趣的朋友。

創業－創造人生的志業

訪問的最後，因著一台電腦就開始創業的陳執行長，用非常堅定的語氣告訴我們「我從來都不會講自己創業， 因為它就是融入你整個人生，所以沒有創不創業的問題，它就是人生。」大概就是因為對創業懷有這麼大的熱忱，它已經是人生中不可分離的部分，創業的養分其實就是人生成長的必須，陳執行長創造的不只是一個公司，而是充滿熱情的人生。

聚財網

- 官網：https://www.wearn.com/
- 臉書：https://www.facebook.com/wearn.tw/
- 電話：02-8228-7755
- E-mail：service@wearn.com

╱採訪後記╱
謝·晨·彥·博·士

「如果你投身於金融領域卻不認識聚財網，那道行真的太淺了。」聚財網 2001 年創立至今，幾乎陪伴了我大部分的投資生涯。

年輕剛踏入金融領域時，網路資訊並不像現在普及，由其財經領域更屬小眾。台灣市面上找得到的財經書籍，也大部分都是翻譯本，談論的也都是海外市場。所以聚財網的出現，我相信不只是我，對許多台灣投資人來說也是一大福音，尤其是聚財當時出版的本土財經書籍，我幾乎都讀過，也讓我早年在建構投資策略時，有了參考的依據。

隨著網路的普及，社群媒體的發展。現在投資人要取得資訊可說毫無難度，網頁一開，到處都是投資訊息。但在資訊的過濾上，反而成為投資人最大的難關。而聚財網上，你可以看到真正面向交易實務的投資人在討論的議題，並透過與聚財網友們的交流，拓展自己投資的視野！

以愛之名的生活提案

《專訪－鑫錡創意 創辦人段凱隆》

”more is less ”，加一些些是為了減去更多！ Amore 愛加丹尼的設計理念，完全顛覆了現代主義建築大師密斯凡德羅 ”less is more ”少即是多的名言，其實這是因為，愛加丹尼一直以來強調的是為生活增添樂趣的加法美學！大家都可以是擅變的生活家，為自己創造出簡單而富足的搭配，店裡的各項精品選物，都提供了顧客在品味與質感的另一種可能。

鍾情著讓創意飛舞的日常

本身就對毛衣、編織、創意情有獨鍾的段凱隆，來自英國的 Paul Smith 是他很欣賞的設計師，或者說是自我的生命導師也不為過，以前在英國唸書的時候，更常常和同學在下課後一起去他的店朝聖。

「他可以整合身邊現有的資源，把隨手可以有的素材都轉換成自己的東西，60、70 歲的老先生，還能這麼有活力，把自己的生命活得這麼精彩，而不像有些百年品牌就是把自己的東西做成那個樣子，只能緩步地前進。」

「而且到現在還和很多地方做很多的串聯，有很多新的創意，食衣住行育樂都做了很多結合，讓藝術這走入世界，我覺得這是很有趣的事情！你不買衣服那你還可以買其他很多東西。」對段凱隆來說，這樣的設計思考非常有吸引力，藝術就應該落實到生活，讓人們可以藉由藝術提高日常水平，對他而言 Paul Smith 不只是位設計師，更是位生活的實踐家。

專櫃的人情功課

從設計師的思考，轉換到公司的經營上，由專櫃到自我品牌、歷經誠品、進駐各大百貨業等，雖然遭逢很多困難、但同時也是一種學習的過程，此外在這之中所建立起來的與百貨專櫃的談判力，對他來說都是十分新鮮的功課。

「因為我是一個比較用情的人，像是說情、理、法，有的時候你要很強硬，但是強硬又不一定能解決事情，就很膠著！其實很多人之後就變成很好的朋友，但是遇到狀況還是要溝通，在組織裡面要有不同的人做不同的事情，我可能就不是適合扮黑臉的人。」

「很多時候到最後你要做決定，很多事情都是人造成的，對錯好壞和感覺的事情，其實都不可控，永遠沒有甚麼是真的對的。」在與不同客人的交涉過程中，讓他體會到每個人其實都很有不同的個性，「有時候客人不一定是奧客，但那就是他自己啊！」

「像是有些人就很挑，他把你當 LV 的概念，皮革不能有摺痕、東西要很完美，但是一個一兩千塊的東西你有必要這樣嗎？我也有遇到客人退過兩次，那我也準備好現金，如果你真的覺得不好我就把錢還你，沒關係真的不要勉強」在專櫃就是人生百態，同時也是一種情緒鍛鍊。

共創的體驗空間

說到這裡，或許有讀者知道「悟。男人，物！」這個品牌，當初也是在時尚界引起一波討論，其實那是段凱隆朋友的店，目前主要是以鞋子為品牌核心「其實因為那時候他也想幫忙我們，想說或許可以一起經營一個男生的空間，而我也發現自己也有鞋和包包，所以如果一起做起來應該會蠻好玩的，那現在他們也會主動把客人介紹到我們這邊來（笑）。」

「也因為這樣做了，會讓更多人看到我們的商品，看到我們在做這空間不同的展現！甚至附近鄰里也會來看看這裡面到底有甚麼東西？其實這裡就是住宅區，但是白天都看不到有甚麼人在走路，也會有人打開門問到底能不能進來？甚至還會特意關心我們的營運情形，啊你們還活著嗎？」段凱龍笑著說其實會引發這樣的狀況，也是因為招牌之前被颱風吹走了啦！但大家真的不用太擔心好嗎！下次經過，請記得大方地走進來，相信一定不會讓各位失望的。

未來將持續拓展美學服務

面對未來的經營，段凱隆認為回歸到設計本質是目前的首要目標，而這也回扣到訪問最初就一直談到的初心問題「我們也會回歸到我們的企業本質裡面，嚴格來說我們現在沒有那麼商業，現在就是回頭鞏固客人，化主動為被動，像以前就是要做大廣告，但現在就是由原本的經營客群去擴散，用基本客群去照顧好這些客人，讓認同也喜歡我們的客人對品牌能有深刻的認識。」

現在，品牌選擇朝向通路經營、企業客製的方向努力，提供從設計端，顏色識別、到商品設定的整體流程，讓企業可以不用再用過往單調的企業贈品，「結合設計和生產去針對不同的企業或是客戶，甚至有些團體，做他們很有特色的商品，除了選品店，也會有設計服務公司的部分，以前是自己有東西，那現在就是把這塊拉出來，去服務更多美學的需求」

「我覺得這塊還蠻重要的，所以像我們另外的品牌，我們會做很精緻的證件套，就會和別人不一樣，明明就是每天就要用的東西，你會什麼不要用好一點的呢？（笑）」

建立台灣日常美學的啟蒙

與此同時，為台灣的美學盡一份力更是長遠的大目標，因為在國外的經驗，激發了段凱隆想將個人美學的概念推廣給更多人的理想，讓日常的生活可以不再是簡單的上衣、打籃球的運動短褲，而是可以開始因著每天不同的心情，換上不同顏色的襯衫、打著不同花紋的領帶，甚至利用不同的材質去創造上下身衝突風格的搭配感，藉由不同調性的單品去提升一整天的心情。

「講美學教育太嚴重，但如何用商品的方式讓大家找到真的實用、適合自己的東西，是我們的目標，現在消費族群漸漸地分眾，快時尚開始被洗牌，很多世界級品牌都開始收店，大家會開始回頭尋找對的、好的商品！其實我們很早就在做這些東西，就沒有辦法做很便宜、低價的東西，不管是我們的工廠、設計、想法、理念等等，都必須物有所值的讓大家去使用。」

「讓大家在選擇東西的開始，在不同的階段你開始會去選擇對的東西，而不是有時候只是拿東西給別人看而已，雖然在某些場合要有東西去彰顯份量，但那其實是看狀況」

很多客人會說 A ＋ more 愛加丹尼是「名牌之外的第二個包」這是客人對品牌的美譽，同時更是信任的展現，是除了精品與名牌之外，另一個肩負質感與舒適的選擇，讓大家在這個過程裡面都可以找到最適合自己的生活方式。

鑫錡創意

- 官網：https://www.amoreclub.net/
- 臉書：https://is.gd/WDMv71
- 電話：02-2707-3420
- E-mail：daniel@amoredaniel.com

／採訪後記／
謝・晨・彥・博・士

Amore 愛加丹尼體驗一號店位在台北市瑞安街寧靜的住宅區巷弄間，走進店門後，會發現店內擺設相當舒服，不會有名牌的高貴壓迫感，卻能感受到一股時尚美感。仔細挑選幾件商品來體驗之後，自己的品味也隨之獲得提升。

鑫錡創意的創辦人段凱隆 (Daniel)，希望把時尚美學融入生活，創立了 Amore CLUB 選品集，讓追求時尚品味或想提升生活質感的人，能在他的平台找到他們心中理想的設計。與此同時，Amore 愛加丹尼體驗一號店不只是一個商品體驗店，更是一個共享空間。

正如他們的官網所描述，Daniel 結束了自己品牌在誠品的門市後，開設了 Amore 愛加丹尼體驗一號店，除了展售自己品牌的包款之外，更開放給沒有實體通路，但質感很棒的品牌入駐體驗店。讓前來體驗店的消費者們，可以親身體驗設計師的巧思與用心。

對世界的愛，從我開始

《專訪－陳科維設計工作室 創辦人 Alex》

陳科維，是服裝品牌 Alexander King Chen 的創辦人，擅長女性化、華麗、復古感的服裝設計，曾於接受採訪中表示「我們的設計非常女性化，我們的品牌特色就是，全部都是立體剪裁，每一件都是我親自在人體模特兒上製作的，這非常費心費力，但是我們品牌的核心。」

目的就是希望讓有自信、喜歡旅行、也會好好照顧自己的女性可以穿著他們的衣服，展現出前衛、優雅且精緻的感覺，其實 Alexander King Chen 的禮服是頒獎典禮紅毯上的常客，許多女明星都非常喜歡這樣的設計，范冰冰、蔡依林、關穎等都曾穿過他的禮服。

而身為一個活躍於時尚界的設計師，陳科維非常欣賞義大利精品品牌 Versace 早期的行銷手法，對他而言是劃時代的經典，更是從以前到現在一直都很鍾愛的品牌；而 Thierry Mugler，做自己而突破傳統的倔強精神，也深深令他著迷；另外有 the hooligan of English fashion 之稱的設計鬼才 Alexander McQueen 也影響他很深。

從這些喜愛的品牌，我們或許就可以知道，他並不是一位會屈服於傳統、或是甘願媚俗的設計師，總是選擇用服裝展示自己的理念、去突破世界給予的框架，藉此傳達出深刻的美！掌握時尚的話語權，去說出心裡真切的話，這其實才更接近陳科維。

由順從商業到自我表述

若從紐約的時期開始談起，品牌成立至今已逾 10 年的時間，在這當中曾經也陷入一段抉擇的掙扎時期，思考著，應該如何打造自己的品牌？或是該如何劃分商業化與個人理想間的距離？

「大概有 3 年，品牌從自己喜歡的樣子，變成很恐怖，我做出很多令我感到很痛苦的東西，那兩年我覺得有點失落，當下還不知道，但是回頭想才發現，因為那時是要商業化要賺錢。」回憶起當時的樣子，深刻地了解到，過度的商業化其實已消磨掉自己對設計的熱愛。

但也因為走過這段掙扎期後，才知道要怎麼樣讓自己快樂，陳科維開始暫緩為了商業化所做的快速時尚、轉而將品牌轉向高級訂製服，但同時並不想把自己逼得太緊，從而堅持只做喜歡的事情，是現在 Alexander King Chen 經營的主要方向。

他認為做服裝產業不一定要追求賺大錢，但一定要忠於自己，所以現在正努力為自己所認同的理念發聲，寧願做個不是那麼富有，但是擁有絕對快樂的藝術家，專注追求靈魂的昇華，而非物質的盲目堆砌「我要去做自己喜歡的東西，不要讓別人改我的東西。」

以服裝秀和自我的悲傷對話

接著，陳科維談及他與國際皮草協會（International Fur Federation）的合作，而在講到皮草的同時，為了避免引起爭議，他也特別強調，世界皮草協會使用的皮草是合法、正當管道的皮草，並非像非法的皮草公司，會為了取得皮草而去虐待動物。

國際皮草協會（International Fur Federation），成立於 1949 年，主要規範著國際的皮草產業和貿易活動，並推動 Furmark 認證並保障動物福利、友善環境等等，他們宣稱：合法的皮草公司，會在動物死亡前施打安樂針，並不會虐待動物，再加上整體而言，世界上的皮草產業已經長達 3、4 百年了，其本身就具有一定的歷史和規模，所以希望大眾不要僅單憑皮草被新聞報導出來的非法情狀，而去抹煞整體產業的正當性。

「有多少家庭靠這個行業去養家活口？也只是需要出來說個心聲，他們並不是用那種殘酷的方式去虐待動物。」陳科維解釋著，其實他當初也對使用皮草存有一定程度的疑慮，但是在經過皮草協會的解釋後，才選擇去信任合法的皮草公司。

但在與皮草協會合作的期間，他其實正歷經著人生很痛苦的低潮時期，於是便決定用服裝展的形式，述說自己家族的遷移史，講述母親的家族從中國逃難到台北的故事。

那時同時肩負著服裝展、家人生病的照護壓力，設計師內心壓抑著的強烈痛苦，更是在創作的過程中全部爆發出來，作品與設計師之間成立一種相互輝映的默契，情緒的苦都轉化成服裝裡頭的綑綁、SM 的設計，整體傳達出一股濃厚的悲傷氣息，更讓許多出席的來賓，被感染到無來由地掉眼淚。

而當時，一個中國很有名的設計師－胡社光，看到的時候就非常驚訝，立刻拉住陳科維，開頭就問他「你的服裝秀怎麼扮成像這樣子，太棒了！我太想哭！但我不知道為什麼，眼淚都在眼眶裡打轉，到底你的動機是甚麼？」

陳科維回想起來，一開始也很驚訝於對方的關心，但自己僅只是想用一種很詩意的形式，將內心的情緒抒發出來，並沒有要袒露太多的悲傷或是難過，只是沒想到後來卻因為這樣的機緣，胡社光十分激賞他的設計，並當面就向他表示：「我要送你一個禮物，兩個禮拜後在北京的服裝秀，有一千個來賓，超級大場面，邀請你來，請把這個的系列獻給你母親，不要擔心，其他的費用你都不用付。」力邀陳科維不管如何一定要到北京。

於是兩個人就連袂合作，就有了後來的「時尚・北京之『絲路・母親』」的發表活動；而與此同時，陳科維更是和華碩在台北魅力展有一場聯名時裝秀！這兩者結合起來的工作量可想而知，一定是非常驚人，但所幸最後在兩邊都有了非常好的成果。

對世界的愛，從我開始

關於未來的方向，接下來陳科維將致力於關懷地球的生態、各種多元的人權議題、甚至推廣動物保育，整體上而言，可謂關乎地球上的所有生靈、花草以及樹木等等。

目前已經有一支影片正在籌備當中，完全是透過自己做音樂、做了曲，希望可以藉由這些努力，讓更多人來關懷這些議題、激發更多的討論，「我要做我相信的事情，需要為地球、多元人權、動物說話，用我們的方法、作品去引發討論，希望利用更有效益的東西，用作品去說話。」

對陳科維而言，服裝不再只是服裝，而是他向世界展示自我的一種形式，透過每場服裝秀中的光影、布料、細節、展演流程等等，在理解這當中的隱喻後，我們才能體會到設計師所要傳達的世界觀，陳科維從一開始對自我的探尋、家人的紀念、轉而到對地球生命的關懷，更表示著他的愛其實是立體的，已經確實地關照到社會裡的各個不同面相。

陳科維設計工作室

- 官網：http://www.alexanderkingchen.com
- 臉書：https://is.gd/BBC8jy
- 電話：02-8773-7000
- E-mail：info@alexanderkingchen.com

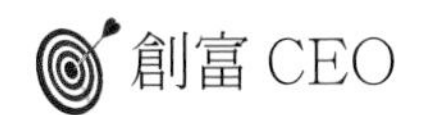

／採訪後記／謝・晨・彥・博・士

現實利益與夢想如何同時兼顧？我想不只是 Alex 老師，對許多創業者來說都是相當嚴苛的考驗。有時候順從商業利益並非為了中飽私囊，而是身為經營者，對公司和員工的一份責任，而不得不做出的妥協。Alex 老師在兩者間找到了自己的平衡點，訪談過程中，他總是神采奕奕地敘述著自己的作品理念，便能理解他已找到自己前進的方向。

擺脫商業化的設計模式後，Alex 老師的團隊也跟著縮編，雖然他表示小團隊在人員調動上的難度相當高，但我在工作室看到的，是一群有著相同目標一同前進的夥伴，每個人都有著明確的方向，彼此相互支援協作，也難怪即便是小團隊，也能發揮出不輸給大型企業的作業效率。

他們要訴說的，不只是服裝設計的藝術，而是有更多的元素被融入在其中。當這個社會專注在政治、商業、宗教甚至是民族等衝突時，他們為弱勢族群發聲、喚醒人們對環境議題的關注，為了讓世界變得更加美好而不斷地努力。

為愛堅強的創業身影

《專訪－康妍養生館 創辦人楊華》

康妍養生館，「康」在中醫裡可以同時包含男性、女性，是個中性的字；「妍」則是形容女性聰慧、有能的樣子。也因此這兩個字結合起來，就代表康妍養生館當初成立的目標，希望不管是男性、女性，都可以在這裡舒緩壓力、放鬆身心，享受經絡、穴位療法的美好。

養生館成立至今已逾三年，創辦人楊華（楊姐）坦言，自己在草創初期也是在做中學，就像是摸石過河的方式，依靠自己去領悟出適合的經營方式，畢竟在這個領域並沒有所謂絕對的成功、或是絕對的失敗，就是必須要透過不斷地精進技術，進而去穩健自己的客戶與品牌，當初也是吸取了很多同業的成功、失敗經驗，才有現在養生館的規模。

以理性溝通引導員工

過去從事美容業的楊姐，說到過去在這些技術產業有著一個行規，就是針對失誤的地方，老闆通常會選擇以扣工資作為解決方案，藉此以收讓員工自我警惕之效，回憶起這些事情，楊姐至今還是非常不認同這樣的作法，畢竟這樣其實是變相地要令員工去承擔起所有的責任，但對於一個技術工作者而言，若只因為不小心的失誤，就讓整天的勞動所得瞬間化成一場空，這樣的做法已經在無形中對員工心裡形成一個過大的壓力。

「因為我一開始是技術者，那時候感受，師傅是接觸客人的第一道，今天師傅進來，當他心情不愉快的時候，就很難把愉快帶給客人，那當客人來消費，不愉快後，改天就不會再來。」

「過去傳統產業都是扣錢，事情沒有做對就是扣工資，所以後面有機會創業的話，我絕對不扣師傅的錢，我盡量用溝通協調，對對方有耐心，讓他知道我為什麼要這麼做。」

因為自己曾經是過來人，經歷過當中的壓力，所以非常不希望自己的員工也遭受到這樣的對待，於是現今偏向以口頭勸誘的方式，去引導員工正確的做事方向，而不是一概地用扣薪的方式作為懲罰。

適性引導提升溝通效率

針對養生館的管理，楊姐偏向以各別員工的不同個性，去做合適的導引，讓每個人都可以適性發揮，團隊的運作也會更有效率，「像是櫃台有三個人，謹慎的人就去作帳、靈活的就做協調等等，後面再看大家協做的成效後再去調整。」

漸漸習慣不把所有事情都攬在自己身上，開始把一些工作下放給合適的員工，僅控制著某些重要的決策部分，這也讓團隊的運作更有彈性和效率。

而提到和員工的相處，楊姐直接說了，「我個性比較直接，每個人都有不同個性，我要學習如何和他們相處，不要有誤會和摩擦。」過去因為個性太直，常會在溝通方面不太順利，對方聽了很常都不太開心，而現在則是嘗試用委婉的方式、或是透過櫃台去轉達，用更柔軟的方式，讓大家更能接受，達到相互溝通、成長的效果。

「現在有好吃、好玩的都會滿足他們，像是開會的時候買一點小點心；或是趁師傅工作的時候買一點吃的，雖然都不是非常昂貴的東西，但就是緩和一下大家上班的壓力。」

針對客人需求，打造新的營運模式

而在經營養生館的過程中，更會經歷到形形色色的客人，「這區域的客戶還不錯，比較沒有態度惡劣的問題，比較有狀況的是，家裡有長輩，但是子女忙工作，大概是年紀大就會亂，家人沒有耐心，我們要想辦法安撫。」

楊姐說，社區裡會有些長輩，平常沒事會喜歡來養生館，家裡人知道這件事之後，後來就決定每個月定期存一筆錢在養生館這裡，讓長輩想要來就都可以來，之後養生館再按次數收費即可，如此可以讓長輩有個去處，也免除每次收費的麻煩。

這就是針對客戶需求調整營運方式的例子，當初也是透過與客戶間的討論，再參考別人的營運模式，去建立起自己的系統，在確定對方的確是存在高頻率的需求後，才會以這樣類似儲值的方式，給客戶一個方便，而如果只是一般的客戶，楊姐並不建議大家這麼做，這樣會不太划算也沒有必要。

外派師傅的彈性舒壓服務

此外在未來，養生館更有在規劃要將店內師傅的服務，轉化成外派的形式，讓客人不用親自到養生館，就能即時享受到非常便利的紓壓方式。

會有這樣的想法，也是源於附近內湖科技園區的一個工作人員，到店裡消費後給楊姐的一個靈感，因為工程師如果不住在附近，下班通常就會直接回家，而如果想要紓解疲勞的話，通常只能利用中午或是下午的時間才有可能，所以楊姐開始想將店裡面的資源，用外派的形式，讓紓壓的過程不限於一定要在養生館裡面完成，外面的公司、企業、甚至弱勢群體等，只要不是太遠，都非常願意將服務拓展出去。

放手讓孩子飛，媽媽有自己的人生

談了這麼多養生館的經營，楊姐開始談談自己，在創業的過程裡面，除了公司已經穩定成長，自己也是透過各種學習，持續進修自己。「原本要去大學念書精進自己，但後來因為小孩的關係先耽擱了一下；此外，我自己有學習下圍棋，想針對策略的部分加強自己的敏銳度，還有學習寫書法，想讓自更己專注冷靜。」楊姐更向自己的小孩說：「你真是我這輩子最難學的功課，那你上大學了，之後我也要有自己的規劃。」

專給上班族的自主放鬆提案

利用訪問的機會，我們請楊姐針對現今許多上班族，必須要長時間面對電腦打字的工作，給予一點建議，「上班族多是坐著低頭、手要敲鍵盤，最疲勞的地方，是脖子、肩膀、肩頸交接的穴位，肩頰骨會痠痛堅硬，腰會痠、腿會腫脹，再加上沒有多餘時間運動，那就是可以用被動的方式，藉由按摩去紓解一天的疲勞」這或許也是當初嗅到外派師傅商機的原因，讓許多有需要但是有沒有時間的上班族一個放鬆的機會。

訪問的最後，楊姐想透過自己的經驗鼓勵大家，「自己在面對創業的龐大壓力時，除了透過同業的經驗警惕自己，也會利用運動來抒發，透過健走能讓忙亂的思緒能逐漸平復下來，而在冷靜過後再去思考要怎麼處理。」最後更特別強調，希望大家有夢想就不要放棄，只要方法正確，堅持走在正確的路徑上，就一定會成功。

康妍養生館

· 臉書：https://is.gd/gup0va
· 電話：02-8502-6900
· E-mail：kangyen132@outlook.com

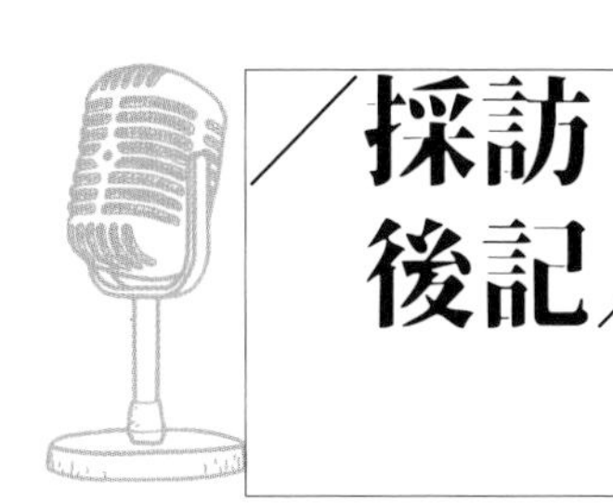

／採訪後記／ 謝·晨·彥·博·士

楊姊在經絡按摩這個行業中，從基層的師傅做起，所以深知師傅在一線面對客戶情緒的同時，還得承受來自公司懲罰式管理的壓力。師傅在此高壓的情況下，負面的情緒往往也會在無形之中傳遞給客戶，讓原本一場放鬆紓壓的療程打了折扣。

創立康妍後，她透過與師傅們進行溝通來施行管理，並敞開心胸接納有心前來學習的人。她認為，自己以前也是苦過來的，大家都是出來討生活，所以自己能幫的一定盡量幫。

所以，創業到現在，讓楊姊感到最有成就感的兩件事，一是提供給二度就業的師傅能有穩定的工作，給家裡帶來安定的生活品質；二是師傅們給客人的服務到位，讓每一個疲勞的客戶，來到康妍都能得到徹底的舒壓。

台灣的下一位 Peter Lynch

《專訪－生活投資學 專欄作家阿格力》

阿格力所提倡的生活投資學，是一種由下而上的模式，藉由日常生活細節裡的觀察，去發現績優股的存在，而不再仰賴財經電視的名嘴、或是其他人云亦云的投資選項，也因此日常生活用品、民生必需工業等都是可以投資的標的！其實也就是在購物中的生活體驗，「像是到餐廳覺得東西很好吃，就會找一下有沒有上市上櫃，說不定剛好就有！」消費的同時，腦袋裡的投資雷達正在高速運轉。

若按一個阿格力常舉的例子，像是有一次，因為過年期間與家人的出遊，發現租車業非常興盛，於是就此發現了一個新市場，覺得這可能是一個很好的投資機會，事實也證明，這樣的眼光，替他帶來的是非常好的成績，讓他在 3 個月內就賺進 18%。

由此可知，投資很重要的是資訊的取得和分析能力，但這也十分仰賴著投資人對股市整體運作模式的掌握程度，才能進而去評估自己是否可以去承受市場的風險，若你深入去了解，這當中的分析其實牽涉的範圍非常的廣，必須針對個別產業的上下游體系去統整或是切割、要洞察出現今趨勢所帶領著的各種產業協作模式，最後則是要從中去評估最大的受益者，這些全部都是阿格力所下過的苦功。

透過分享建立自我品牌

「現在是使用權的時代，而非所有權的時代！我國中是奇摩的時代，以前就有在經營家族，跟棒球和日本摔角有關，大概從那個時候就喜歡將自己的東西和別人分享，社團的人數大概兩三千人吧」對阿格力而言，喜歡分享就是一件很美好的事情，也讓他從以前一直到現在都有這樣的習慣，間接也是現在個人品牌的一個開端。

現在的阿格力專注於推廣知識訂閱的制度，將投資理財的知識，與讀者即時分享，這與以往的投顧會員偏重獲利的目的性有很大的不同。「訂閱給的文章，假設生活選股好了，針對台股裡面一百多檔的生活類股，每個月營收如果出來，我就會把營收會成精選股，但是其實我覺得大家看到的都是這個工具而已。」

「訂閱我們真正想要賣的是，讓讀者改善他們的生活，所以我們賣的產品雖然是一些股票的資訊，但就真正想要帶給消費者的，其實是要幫他們省下一些時間和金錢。」定期提供真正有價值、有用的資訊，所有的東西也都隨時受到讀者的檢視，訂閱的制度讓讀者有更多選擇的空間，而這也變相的將壓力轉換到知識的提供者身上，必須要盡力提供優質的內容去吸引讀者、或者是說去留住讀者。

以知識變現不離職創業

從過去到現在，經歷專欄作家、也出了幾本書，更有在推動知識訂閱，阿格力鼓勵大家「不離職創業」，這樣的創業模型其實就是知識經濟的概念，像是大陸的「邏輯思維」就是很好的例子，讓知識的產出者，可以藉由提供的過程，與接受者交換到一定的報酬。

像是台灣目前的薪資水平約落在 4 萬，但一般人還是在 2、3 萬左右，若大家不想要貿然創業去承擔太大的風險，「不離職創業」是一個很好的選擇，以知識性的產品去服務客戶，這樣子就能保有正職、同時經營著副業，在穩定中追求成長。

「就先不離職創業，因為其實你沒有多少錢可以輸，像是如果我當時做生物科技研究員，我還是可以在網路上繼續經營我的文章，如果這方向後來有成功的結果你再把正職辭掉。」其實訂閱甚至不用露臉，訂閱制什麼都能做，這就是新興知識經濟的開始。

不要當市場的跟屁蟲

講到這裡，阿格力也提到，要注意市場區隔的重要性，而這更是他在創業的一開始就想到的部分「假設我哪天紅了，那我的路線和別人有沒有衝突？所以就搜尋過所有的老師，不管是當沖、選擇權、存股都有人講，但就是沒有人講到生活投資！雖然很多人說巴菲特或是說其他老師，可能有提過這個概念，但就是沒有人將它系統化。」

「年輕反而變成本錢，所以會有更多時間去定義一個學派，從我開始定義起，假設這件事情成功後，這個市場就是只有你的」最後發現自己是市場上唯一，沒有任何對手，也因此「生活投資學」就成為阿格力的個人品牌，這就是他一個人獨享的標籤，名詞由他創造、定義也由他改寫。

同時阿格力也說，在現今創業的過程中，替自己打造知名度是很重要的經營模式「不要怕對手抄襲你，當對手抄襲你第一代的時候，其實你已經要出第二代了。因為我在一開始就把學員們定義好了，大家都知道生活投資學是阿格力說的，一堆人在抄襲啊！歡迎抄襲，這樣就更多人知道阿格力了。」

「其實現代人現在要特別重視搜尋的能見度，像是 Youtube 和 Google 這兩大的搜尋引擎，關鍵字的經營非常重要！ SEO 關鍵字搜尋非常重要」寫完文章更要加強重點，必須建立自己獨有的關鍵字，與個人品牌有所連結，增加整體的曝光度。

老闆其實也像在訂閱員工

話鋒一轉，阿格力向我們分享，管理事業中，最大的困難其實是合作夥伴的問題，優秀的合作夥伴並沒有想像中好找，有時候好的人才其實是可遇不可求，而對於阿格力來說，最大的夥伴就是他的讀者，長期的讀者更是非常了解他，當中就有一位讀者被聘請為他的員工，雙方運用訂閱的概念進行協作，達到互利共生的效果。

「把訂閱制的概念用來聘請員工，我其實也是在訂閱員工，像是你繳一篇稿來我是給你多少錢，如果你的稿我覺得不好，我下個月可能就不發稿給你，所以我覺得這樣可以把契約營運的成本降到最低。」以這樣的方式，讓雙方都可以最簡便的方式，達到最高的默契。

利用零碎時間、系統化學習

訪問的最後，阿格力特別提醒大家，終身學習的重要，尤其是可以透過碎片化的時間，準確地去精進自己的能力「我覺得現在不用到學校學習就可以學到很多東西，創業很重要的就是自學力，這個過程中要懂會計，現在網路上也很多線上課程，像是一次一千多，你就能系統化地去學習。」

「一般人為什麼不敢創業，或是創業那麼容易失敗？因為他覺得他每次遇到一個問題，他就要去養一頭牛，但是其實這中間不用那麼麻煩！」千萬不要盲目地去學習，這樣只會打自己搞得很累，這會變成什麼事都做不好。

生活投資學阿格力

- 官網：https://reurl.cc/lLp7OQ
- 臉書：https://www.facebook.com/lifeinvestment168/
- E-mail：richlifeinvestor@gmail.com

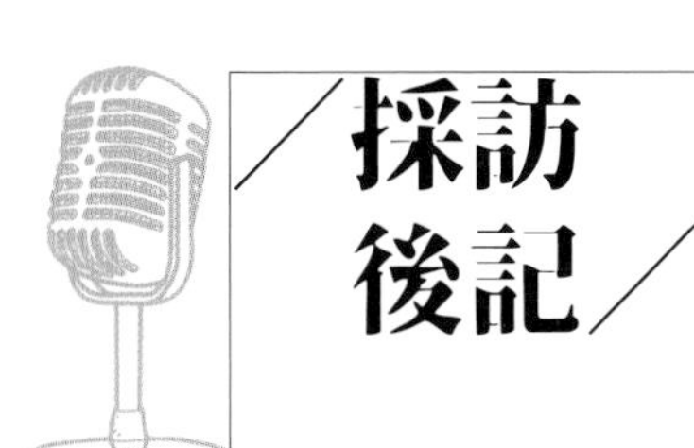

╱採訪後記╱

謝·晨·彥·博·士

在最近幾年受邀的投資演講活動中，我常常會問大家一個問題，「你做的是投資，還是交易？如果你要每天盯著市場價格的變化來買進賣出，你其實是一個熱衷交易的商人，而不是投資人。真正的投資人，應該是要讓好公司來幫你賺錢。」

生活投資學阿格力老師，就是希望透過他的分享，來告訴大家如何找到好公司來替自己賺錢。在這個市場上，我見過太多投資人輕率地進場買股，虧損時卻又捨不得停損出場，一檔股票抱到最後變壁紙。

阿格力老師的訂閱內容，從基礎、進階到實戰，讓散戶在進場投資前，可以完整建立自己的投資系統，運用這套系統找到對的股票。正如他的 slogan「生活投資學，帶你挖出定存成長股」，讓我們都能在生活中，建立屬於自己的一套投資哲學。

新しい世界へ踏み出す

《專訪－台灣北菱 總經理福島真一郎》

台灣北菱股份有限公司，沿襲自日本總公司北菱電興株式会社的精神，專職於電子零件、機械加工零件的進出口貿易，並於近幾年開始將業務拓展至業務代行、專業口筆譯等服務，望以企業多角化經營的方式，利用在台 20 餘年的在地經驗，幫助在日本有意進駐台灣的中小企業，進行資源整合，以良好的評估減去客戶在業務上多餘的浪費，以建構起日台貿易的中間橋梁。

今日我們訪問到，台灣北菱股份有限公司的總經理福島真一郎（以下稱：福島さん），向我們分享他長年跨足海外的職涯生活，以及在這過程要如何協助台灣子公司做多角化的業務經營。

尊敬體貼他人的心意

對於福島さん而言，在這麼多年的外派生涯中，有過太多值得尊敬的人了，尤其是之前的上司雖然很嚴苛，但可以在他身上學到做事情的細心，以及瞻前顧後的思考，因而面對問題不能只看表面，更要想想其他相關的資源，才會有更好的整合，然而在這所有當中令他最印象深刻的還是會「気配り」的人。

「気配り」指的是，會體貼周圍人的感受，就算是對方沒有明白說出來，但自己還是會在察覺對方有困難後適時地伸出援手，是一種人與人之間相處的溫度與體貼，這樣敬重他人的心意，會讓人感覺十分窩心，也是日本文化中的珍貴之處，在學會讀懂空氣後，選擇用最沒有壓力的方式，去調和人與人之間的距離。

明確管理，提升員工士氣

而身為海外的子公司的管理者，應該怎樣留住優秀的人才呢？尤其是要如何面對與同事間的相處上的文化差異？而這就要提到公司的向心力，畢竟對公司的認同感是凝聚好人才很重要的部分，身為主管應該要營造出一個正向氛圍，以提升員工的士氣，增加每位員工對工作的熱忱。

接著則是向員工說話的方式，也會影響到事務的進行「管理的話，下達的命令要很明確，不能讓別人無所適從，自己也要意識到做事的優先順序，知道這些才能指導，也才能去和下屬溝通。」而福島さん自己也坦言，這樣的態度也同時是他對自己的自我要求。

此外，日商公司都會針對員工有一些研修課程、或是內部教育等等，這也是在管理過程中自我提升很重要的資源，「升上課長的時候公司會在外面聘老師上關於管理的課程，會有像是研修營一樣，要去上課！每進一個階就要上一次課，上完就要寫報告。」公司會教導員工很基本的，對待下屬、如何提升管理能力等等的訓練，讓大家都有一個學習的方向可以前進。

自律自持的企業經營

而提到企業的經營，福島さん則是秉持非常日系的精神，提供 3 大方向給讀者們參考，主要是以人的管理為首要方向，因為對福島さん來說，員工是公司的最大資產，當照顧好員工之後，也同時將公司照顧好了。

第一、加強自我控管能力：因為「無法管理自我的人，便無法管理他人」，所以在遇到突發狀況的時候，首先要做的是穩定情緒，唯有讓情緒走過之後，才能看清楚事情的全貌，進而找到合適的解決方式，而不致亂了方寸。

第二、輕重緩急之明確化：要在行動的時候先行意識到「孰輕孰重、先後緩急」的重要性，在判斷一件事情的時候，不能過度偏重時間的需求作為標準，需要同時以重要性作為輔助，唯有如此，才能提高判斷情況的能力。

第三、了解員工的工作計畫：管理者必須要掌握各人員的工作進度，而去進行適時地調整，以提高公司的整體績效。

然而因行業不同，管理的方式和目的也有異，「但是重要的是，要如何依照公司的願景與展望，去獲得集團、企業、部門、員工一致的共識？並成為大家全力以赴的方向。」為此，公司積極採用了新的人事評估系統，以確立與管理工作目標，並致力於提高員工對工作的熱忱及積極性。

創意工夫そういくふう

接著福島さん提到總公司的企業理念「創意工夫そうい

くふう」，指的是擁有獨創嶄新的想法，並能在試行錯誤中，找到最好的解決方式！「創意」即「創造力」，透過發掘以前從未有過的新想法、去提出獨創的見解，並且要在新的想法裡確實執行，如果當中有發現錯誤後，就解決然後再繼續執行。

「市場變化真的都很快，要有新的想法還有執行力，不然就會被淘汰！其實壓力挺大的，近期想要擴大公司的規模，換一個更大的辦公室之類的（笑）」

因此台灣北菱的經營方針，則朝向在瞬息萬變的環境中，挖掘出更多新商機的可能，除了要擁有「面對變化的能力」，更要加強獲取資訊的技能、靈活運用行銷策略、建立多樣的銷售管道、透過各種方式去提高客戶的滿意度。

延伸觸角拓展新業務

台灣北菱股份有限公司，目前已經在台灣深耕經過 20 多年，近幾年開始擴大業務項目，「口筆譯的服務目前還很新，之前有過一段準備期，現在正式後大概才剛開始一個月，還不能很準確地去評估未來的發展。」

「但是希望之後的業績可以提升佔比，變成與舊有業績持平的幅度，這大概就是 4、5 年之後的事情，大約經過一年之後再來看看成果」

目前也積極地將公司的新業務行銷出去，「透過網路線上宣傳、紙本傳單的發送，之後也會拜訪策展單位，而當公司的人員更多之後，也會開始參加標案，此外在回日本的時候，也會在本公司的石川縣多做推廣」其實日本有很多的中小企業，希望能夠來台灣發展，這也是福島さん努力的目標。

讓台灣北菱走向綜合商社

「我們運用累積20多年的製造、貿易、品管、業務經驗，跨足翻譯、口譯，完善日本業務代行的全包式服務，以一貫對客戶忠誠的態度，提供日本職人的精緻服務。」業務代行的工作，希望可以做成像是諮詢的形式來幫助大家，以日本職人精神，提供最專業、迅速、優質的服務。

訪問的末端，福島さん用上述的話為我們總結，此外，也希望進入北菱的各位，都不要忘記創意工夫的精神，發揮旺盛的挑戰慾，並且都能夠專心致力於自己的工作。

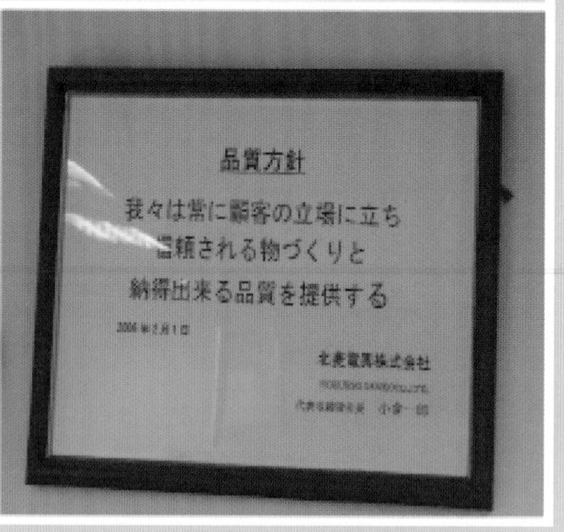

台灣北菱股份有限公司

- 官網：https://hokuryo.com.tw/
- 臉書：https://www.facebook.com/hokuryotw/
- 電話：02-2751-7084
- E-mail：info@hokuryo.com.tw

／採訪後記／

謝．晨．彥．博．士

日本企業都具備所謂的職人精神，也就是說一件產品、服務，不只要做好，還要盡可能達到毫無缺失的完美境界。這也是為什麼日系商品，在全世界能夠擁有這麼好的競爭力，因為只要是「Made in Japan」，就是品質的保證。

台灣北菱承襲日本母公司「北菱電興株式会社」的「創意工夫」精神，不論是從事進出口貿易、業務代行，還是正要大放異彩的翻譯業務，我們都能在其中看到其令人佩服的職人精神。不管是哪一項業務，台灣北菱總是站在客戶的角度，協助客戶預先排除可能會面臨的問題，目的就是要讓客戶感到安心，讓客戶能專注在本業的經營上。

「台灣北菱股份有限公司」的福島真一郎總經理，希望運用公司在台灣深耕經營 20 多年的經驗，協助想要來台灣發展的日系廠商，藉由更為密切的貿易交流，讓台日的友好關係更加緊密。

窺見物聯網的獨角獸新星

《專訪－3drens 創辦人余嘉淵》

「想要打造台灣最好的軟體公司，想要讓全台灣資工所畢業的學生，一出來就知道我們這個地方，可以在這裡實現夢想，還有成就感！而且待遇、薪資都蠻好的。」3drens 創辦人余嘉淵非常有自信地說到。

希望能將 3drens 打造成一個創新動能很強的公司，用開放的風氣讓員工可以自我實現，「以彼此互信去打造一個未來的台灣 Google，只要有想法，公司就會幫你實現。」

因而在新創競爭激烈的領域中，亞馬遜的執行長傑夫．貝佐斯（Jeff Bezos）是余嘉淵最欣賞的創業家「很喜歡他每年都會發信給股東的舉動，這算是給股東一個交代！諸如：我們今年做了哪些事情？有什麼成長？未來有怎樣的規劃？等等。」他也期許自己可以成為這樣的經營者，目前的 3drens 則是習慣透過月報，將該月完成的事情記錄下來，去檢視公司的營運狀況。

有夢想就設計並且實做出來！

2017 年 6 月 29 日是 3drens 創立的日子，希望能夠透過科技的力量讓世界變得更美好，也向大家傳遞有夢想就要盡力實踐的理念！同時余嘉淵也認為在創業的過程中，經驗與資源是非常重要的，自己雖然並非在學期間創業，但是台大的創創中心，確實提供了團隊很多資源，也彌補了團隊商業經驗不足的落差，也因此他認為如果在有良好的配套措施底下，其實非常鼓勵學生在學期間進行創業。

「學生創業最大的困難點，就是經驗不足，像是要做商業決策的時候，會很仰賴過去的經驗，這時候台大創創就可以提供很好的資源，像是業師的制度，會依照領域做不同的媒合，去指引你的方向。如果知道你這樣會走冤枉路的時候，會把你拉回來，因為時間就是金錢，如果可以少走冤枉路或許可以走得更快一點。」

目前 3drens 也有很多剛畢業的年輕人，在加入新創公司後，反而開啟了更多、更寬廣的視野，你不再只是公司整個體系被拆解後的螺絲釘，而是有更多機會去親身經歷整個產業的運作模式、體會到公司成長的過程，所以余嘉淵常鼓勵年輕人應該要多嘗試、多看看，對創業可以嘗試著懷抱正向的態度。

以在地化優勢前進新南向

而團隊在走過短短兩年的時間，已經透過比賽、展覽等取得非常好的成績，在新南向的部分更是往前跨了一大步，已經和當地的共享巴士、系統整合商、物流業者合作，簽下了 3 張 MOU（合作備忘錄）。

同時這也要歸功於團隊成員，因為有夥伴的在地經驗，讓 3drens 的南進過程走起來順暢許多，「因為有一個夥伴是馬來西亞人，有這樣的資源，就可以很容易在地化，去和當地對接，很快地把資源拉進來。」

「他常笑著跟我們說，如果沒有我的話，你們連點餐都不會，你要怎麼在這裡做生意？其實馬來西亞點餐很難耶！有很多馬來話，第一次看很不容易，有些還沒有圖片。」所以有當地人的協助非常重要，因此就減去了很多文化上的磨合期。

打造優化出行的智慧城市

接著余嘉淵用實例的方式，向我們解釋技術運作的概念，以及當這實際落實在生活後可以帶來怎樣的變化？

目前的 3drens 將主力放在打造一個車聯網行動定位數據平台，以數據基礎結合商業運作的模式，透過路徑最佳化、需求預測、物流包裹案件追蹤、任務指派等，提供給車隊營運者更智慧的出行服務，以優化客戶的營運、降低成本，甚至還能因此拓展出新的商機。

「像是天氣資訊、修馬路、行車速度，停車場位置等，全部都可以加入到我們的平台！和台灣的電商合作後，就想打造出台灣最好的物流聯盟。」

其實早期貨運公司會有自己的系統、自己的裝置，但是現在有了這個軟體，只要一台手機就可以了！而當中小企業小規模慢慢加入後，平台就會因此有更多運能。「如果你有很多台車，在安裝我們的軟體後，你就可以幫某些大型電商送貨，結合後就像是擁有一千個車隊的人。」

「也可以利用平台，去和更多資源做對接，像是本來只能跑北部的人，透過這個軟體後，就可以和中南部的人做資源上的整合！其實，我們軟體的定位、資訊運算等等，不只是單純地做車隊管理，而是會把車隊管理後面的數據做更多的運用。」這樣的模式，甚至可以協助傳統產業升級成一間科技公司，達到數位轉型的成效。

「像是租車以前就是在火車站做生意，但現在導入我們的追蹤器，之後可能就變成半自動地還車、租車服務，就可以和民宿、便利商店業者合作！我們的第一個客戶，就因為導入了這樣的服務，營收增加了百分之 25 ！」以前要一家一家問可不可以租車，現在就可以用估算的方式，知道哪裡有租車的需求。

此外，這些技術更可以用在未來的需求預測，「比如說我有 50 台車子，那哪幾台要換輪胎這些是以前從來都不知道的，哪時候要做更換、維修，就是時間到了然後一起換啊；那現在就是可以靠機器學習的概念，在累積數據之後告訴你，甚麼時候應該做什麼事情！」以前必須仰賴人的經驗去決定，現在則是透過機器的學習，就可以去強化管理的系統，這就是大數據的應用實例。

在物聯網的世界裡更要重視資安

接著，余嘉淵也向我們分享了，他所認為的物聯網、以及公司未來應該會以怎樣的態度去面對？對他來說物聯網就是現在的一個趨勢，畢竟在萬物連網後，已經有越來越多資料上去，因此就可以藉由數據分析做出更多商業決策。

同時他也提醒著，物聯網雖然方便，但是資安仍是當中最大的隱憂，當越來越仰賴各種信息、資訊做為基礎後，如何保障當中的安全性，就顯得十分重要，而且是不容忽視。

「希望在五年內我們可以去 Nasdaq 敲鐘，其實我們不會只侷限在台灣的市場，我們在第二年的時候就有新加坡馬來西亞的客戶，希望在第三、四年，有更多全球的合作。」不只以台灣上市做為目標，而是放眼更大的資金潛力，期盼能在全世界有更多合作的可能。

三維人

· 官網：http://www.3drens.tw/m/
· 臉書：https://www.facebook.com/3drens/
· 電話：0937-260-185
· E-mail：oeo@3drens.com

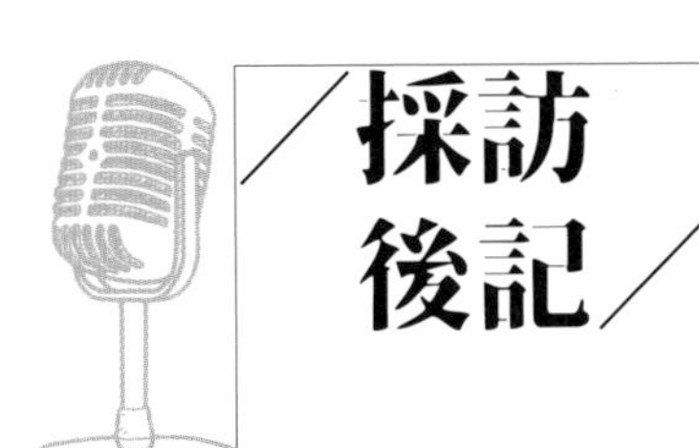

／採訪後記／

謝・晨・彥・博・士

隨著物聯網的題材興起，許多國際新創企業也藉由這波趨勢，迅速在世界各地開拓他們的市場。但物聯網並非新創企業獨享，傳統企業也同樣需要這些技術，來提升自己的營運效率。但並非家家都是 Google、微軟這種大型企業，可以獨立研發自己的系統。

3drens 在車輛聯網，擁有相當豐富的實務經驗。由團隊自行研發的 RENSI 平台，主打智慧交通與智慧安控。可以為客戶提供量身訂做的管理後台，精準掌握公司旗下交通載具細部狀況，除了提高管理效率，也能更精準的計算營運成本，有效控制預算。

「產、銷、研、人、財」是企業管理的元素，3drens 團隊已經擁有強大的技術研發能力。但面對生產、銷售、人事以及財務，大家幾乎都還是新手。對於充滿學習熱情的余執行長，他一定能和團隊夥伴們，一同逐步整合這些元素，讓 3drens 跨越來自市場的挑戰。

直面心中理想，60 創業的第二人生

《專訪－統一旅行社 總經理孫運琦》

創立已逾半個世紀的統一旅行社，從最初的代辦票證業務，到 2017 年由孫運琦總經理領軍後，歷經大規模的業務轉型，開始拓展公司的營運版圖！接連代理起 Club Med（跨國渡假村集團）、Star Cruises（麗星郵輪）、Dream Cruises（星夢郵輪）和台新無限卡，也讓統一成功搖身成為一間休閒型旅行社，並同時升級為綜合旅行社，更於 2018 年在台北總公司之外，另成立台南分公司。

目前的統一旅行社，產品主力在服務金字塔頂端的客群，以最高標準的規格帶給懂得享受的顧客一個極致的身心靈放鬆之旅，這也讓公司於 2017 年，以「岩手北三陸．久慈海女祭．遠野故鄉村深度旅 7 日」的產品，在日本觀光局所舉辦的發現心日本獎中，得到「最優秀賞」的肯定。進而醞釀出「御之旅」這種極上享受的旅遊計劃。

效法頂級企業家的經營哲學

帶領公司走過這樣的轉型之路，孫總經理格外佩服郭台銘、張榮發等企業家的創業精神，他們在管理企業中所展現的霸氣和氣度、還有付出的堅實精神，都是值得效法的對象。

「我欣賞鴻海的霸氣是郭董很大方分享跟回饋給同仁，其實一個公司的條件好的話，也要領導人敢給，我期許公司更上一層樓後，同仁們也會有更好的報酬，這樣大家的生活水平都能提升。」

接著他向我們提到，郭董 40 幾年前就賭上所有家當，從無到有創業，企業老闆所承受過的風險，一路上的點點滴滴辛勞，並非人人所能體會，在經歷了這麼多仍願意貢獻分享，並繼續兢兢業業工作求進步，這真的是值得學習的榜樣。

創業本身就不是一件簡單的事情，唯有不斷地充實自己和團隊的實力，才得以應付各種困難挑戰，當條件俱已備齊時，成功自然水到渠成。當然，機運與時勢也是很重要的，而心存善念更是不能忘記的，這就是人與人互信的基礎。對孫總經理來說「當然我是覺得心要善，在社會上就是要去相信一個人，你今天講什麼我都會相信，我的眼裡都是好人比較多，沒有壞人。」

領導人的以身作則

在他的領導信念中，「創業要找最合適的人，不一定要找成功的人，創業的人目標一定要堅定，誠信一定最重要！你當一個領導，你曾經承諾過的事情，就算是你非常不願意，覺得我當時有講過嗎？可是你就是要去做，你答應的事情一定要去做！就算是對公司會有損傷，可是你答應了你就是要去做。」承諾會塑造出整個公司的特質和特色，也會讓同仁與客戶信賴公司的領導。

孫總經理是信仰關聖帝君，對他來說，仁義是行走於社會中很重要的精神，在與人相處上、公司的經營上皆是如此，作為一個經營者，應該要先律己、而後才是律他，必須時刻注意自己，做到言出必行，如此的企業文化就是一種義字的關公精神！

在經驗中逐步學習管理

從年輕時代，透過自立培養人脈、累積服務業的經驗，這些都是往後職涯路上無比珍貴的養分，在這些過程中，孫總經理體認到，真正的管理，書本是很好的參考、或是聽從他人建議，但管理本身是一種實踐學，要親身經歷過才會了解。

「管理沒有人懂，大家都是在經驗中慢慢學習，我個人感覺我就是要以身作則，大家八點半上班，我就八點前就會來。」因此，身體力行的態度，就是企業家給同仁的最好榜樣。

尤其是，看到其他企業家也是非常認真地在為社會付出，這樣在企業經營之外的利他精神，更讓自己有種當仁不讓之感，「現在進到公司則會先看 LINE 的社群軟體，向大家做一些問候，其實你看啊，這麼多在社會上付出的人，這些人在退休後不但可以做到每年捐鉅額善款，而且還是依然堅持每天基本的問候，那我為甚麼不做呢？」

此外對於同仁的要求，則是秉持著人性化管理的力度，引導並培養當責的同仁，充分發揮同仁的潛能，不以大公司的層層制度為限，期望能降低繁複的紙本流程，進而增進工作效率。同時，完整地信賴和授權同仁，彼此雙向溝通，讓各層級主管和專業能發揮所長，在這樣的環境裡，讓每位同仁都能發揮關鍵的作用。

「像是同仁專案執行來說，百忙之中有些難免會出些小插錯，那沒有關係，但要從錯誤中學習成長，每個人都是從錯誤中累積經驗！若有過而不改，這其實就有一些事情要去注意了，比如說是不是發生了什麼事等等．．．為什麼突然狀態不佳，我們就要知道、關心一下。」對他而言，堵而抑之，不如疏而導之，引導同仁往正確的方向前進，是領導者最大的學問。

邁向金字塔頂端的量身訂做

而提到公司的未來展望，在旅遊業具有相當深厚經驗的孫總經理，將會持續透過手上豐沛的資源，替顧客量身打造最優質的行程，用最好的品質，回饋給客戶們「未來會加強量身訂做高檔團，讓每個參加的貴賓更有機會體驗到我們的用心。」

與此同時，與客人的互動，也讓公司的服務可以更加提升，「相對客人也會提供給我們，比如說我們安排一家餐廳，客人會說這家我們有去過，那另外一家也不錯，你是不是可以安排一下？那我們一般來說就是會配合。」

就像是量身訂做西裝的概念，希望可以透過每次的討論，更貼近顧客的需求，如果有任何想要的地點、套裝行程，只要顧客有提出來，公司就會想辦法達到，而往往也是在這樣的互動過程中，彼此吸收與成長。

堅持自我的一條路

訪問的整個過程，我們都感受到孫總經理對旅遊業的初心始終不變，就是期望帶給客戶最好的旅遊體驗，而未來也會持續開發高端的旅遊產品，在現有的客戶基礎之上，逐步去推展更多的客群。

畢竟好的東西大家都想嘗試，透過許多舊客戶的介紹，讓越來越多人知道有這樣的體驗，也讓統一旅行社，在穩健成長的過程中，開闢新的疆土，邁向未來更好的發展。

統一旅行社

- 官網：http://www.gtstour.com.tw
- 臉書：https://www.facebook.com/GeneralTravelService/
- 電話：02-2546-0101
- E-mail：service@gtstour.com.tw

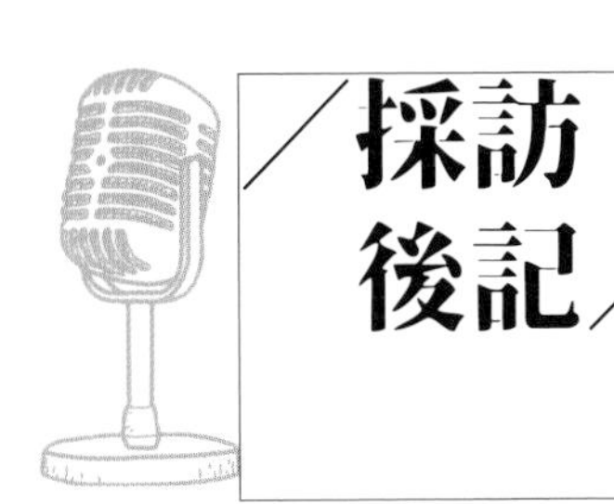

／採訪後記／

謝·晨·彥·博·士

近幾年報章雜誌、電視媒體總是一提再提台灣旅遊業的不景氣，但是走進統一旅遊的辦公室，卻感受不到這樣消極的氛圍。不僅業務人員的電話停不下來，還陸陸續續有客戶前來聆聽行程簡報，整個辦公室充滿著相當活絡的氣氛。

在辦公室的四周，隨處可以見到「莫忘初衷」的題字，這都是出自統一旅遊總經理孫運琦先生的好友之筆。除了提醒孫總自己，也提醒團隊，自己希望給客戶帶來什麼樣的服務。在這樣的服務精神下，讓統一旅遊推出的行程受到國內外肯定，並獲得眾多獎項。

統一旅遊的服務貼心程度，可以說是無微不至，客戶提出的建議與需求，統一旅遊都盡可能去滿足，為每一團的客戶提供量身訂製的行程規劃，讓每一位參加行程的客戶都能擁有最美好的旅遊回憶。

信心而行的無限正義之路

《專訪－昱果法律會計聯合事務所　所長趙耀民律師》

昱果法律會計聯合事務所的所長，趙耀民律師（以下簡稱：趙律），有別於一般法律人總是給人冰冷的形象，相反的，趙律則是以專業、親切的態度，獲得許多客戶的信任，更曾接受過新聞台的訪問，侃侃而談刑事訴訟法的筆跡鑑定制度，希望能透過清晰的講解讓大眾更了解生硬的法律條文。

學習提問跳脫思考迴圈

因而趙律的推薦書單，並非艱澀的法律著作，而是《先問，為什麼？》的套書，源於 Simon Sinek 於 Ted 上已經突破四千萬觀看人次的熱門演講，啟發了無數人開始思考領導力的關鍵，重點往往不是你做了甚麼，而是你為什麼而做！

對於他而言，法律的訓練所培養的是解決問題的能力，但是在開始經營一家事務所之後，發現自己更缺乏的是宏觀性思考，也就是要試著將問題的廣度拉大，除了怎麼解決之外，另外則是要學習提問，想著這問題是從那裡來的？並以此作為引線，讓後續的推導更加順暢。

「所以這本書就是一個問題的核心，你要怎樣去經營？而不是說經營事務所的一百問答，這種很表面的東西，而是回歸到最基本原理與原則，這其實也就跟法律一樣，最後大家都會要求最根本的東西。」

「首先，先問為甚麼我要這樣做？那具體呈現出來的東西只是我為什麼要這樣做的一個表現而已，必須要跳脫出來後，再去思考整件事情。」只有最核心的為什麼，才能夠找到推動事情前進的動力，也才能更成功地凝聚一個團隊。

讓律師帶你掌握法庭的運作

另外在提到很多人對法院運作的誤解時，趙律也對此有很多話要澄清！像是「有錢判生，沒錢判死！」更是從過往到現在，就一直烙印在國人的腦海裡，然而這句話的確有著再商榷的可能。

「因為其實，如果是一位律師來講，我們打官司通常都要花很多時間和精神，去做很多的準備，上了法院才能夠順利地講出我們想講的東西，開庭時並不是全部都在爭辯，而是要確保法官能夠理解我們的主張。」

對於趙律師而言，他認為法院就像是一個賽場，既然是一個比賽，就會有遊戲規則，而這個規則，就是律師比較理解的領域，因此民眾要找律師的原因，是要藉由法律而去保護自己，律師的角色就是在整個過程中，更快地找到問題的爭點去說服庭上的法官。

用正義提醒自己莫忘初衷

目前趙律其實也正積極地經營自己的社群，解答大眾對法律的疑問，包含從言論自由、業務侵占、消費者保護法等等領域，引發大家思考生活中的各式法律議題，而社群裡「無限正義」的四個大字，更是他自我提醒的一個紀念。

因為對他而言，擔任律師有比賺錢更重要的事情，其實也就是當初的理想！這更是支持著他一路走到現在「最重要的是當初你為什麼會進來這個產業？為甚麼會來法律界替大家服務？這個東西不能忘記。」賺錢可以是附隨而來的結果，但它一定不能是唯一、絕對的目的，如果抱持著這樣的思考，反而會使人麻木，更會忘記法律背後所涵蓋的淑世精神。

追求當事人信任而非勝率

因此，追求客戶的信任，比訴訟的成敗重要很多，希望能在這個過程中做到用自己的專業，讓客戶安心、放心，覺得有這個律師真好！「我個人不會把勝率放在第一位，因為之前有遇過我覺得必勝的案件，但結果我打輸了。」

「那個案件只要傳證人來就可以了，而我習慣在開庭前，會先和證人開個會，目的是要喚起對方的記憶，也因為開庭的法院離我事務所蠻近的，就請他開庭前一個小時再來開會就好，但是沒想到對方到最後 5 分鐘才出現，當然就開不成會，結果等到正式開庭後，證人的記憶就因為事件已經相隔太久遠而混亂掉了。」其實開庭永遠都是個流動的過程，當中的變數並非每次都預料的到，因此與其追求勝率，不如好好對待眼前的客戶。

傳統手工業 versus 律師

而趙律也解釋，他認為好的律師應該要具備認真、負責的態度，這有時候與資歷沒有絕對的關係，而是端看他能為你的案件負責到怎樣的程度！這是就是評價一位律師好或壞很重要的一點，尤其在要面對案件中的各種細節與時效時，是非常仰賴專注、細心的特質，甚至趙律也自嘲地說，律師有時真的蠻像是傳統手工業的。

「因為每個案子都很像，但就會差一點點，所以做這些功課會花很多時間，大家千萬不要覺得律師寫狀紙就像曹植在寫詩一樣，七步就可以成詩，其實我們要在背後做很多很多的功課，絕對沒有辦法因為很像就直接複製貼上。」

因而趙律叮嚀大家，可以藉由書狀的用心程度，去觀察這位律師是不是重視這件案子，如果他能清楚地將你的想法，都一一地傳遞給法官，這就是一位值得當事人信賴的好律師。

走向律師正常化的世代

此外，現在的法律圈生態已經和過去有很大的不同，在大學廣設法律系所、律師門檻大幅降低下，律師的競爭已經越來越劇烈，甚至傳出有流浪律師、或是無薪實習的新聞。

但面對這樣的產業景況，身為法律圈中生代的趙律卻認為，現在反而是律師走向正常化的時代。「我有和年長的同業律師聊過，我個人覺得現在與其說市場飽和，不如說這是一個律師正常化的表現，當然也有人認為律師開放過度，但這是行政上考量的問題，在這裡就不多談。」

其實法律專業能做的事情很多，這可以從它的功能開始談起，像是保障社會秩序、維持制度穩健的運作；另外則是它的未來性，例如：面對未來的變遷，在制度的創設上，法律可以提供怎麼樣的協助？立法者想透過怎樣的法規讓台灣面向國際？

也就是說除了大眾既定的司法從業人員、私人企業的法務外，現在的台灣其實也很缺乏新創產業的法律人員，尤其是在許多金融法規、國際法規都落後於其他國家很多的情況下，嫻熟法律並有能力去結合其他專業的跨領域人才，更可以推動法律的進步，去和其他國家的法規做對接，以帶動產業和經濟的整體發展，因而不是說法律的出路不廣、或是律師已經過於飽和的問題，這就看你用怎樣的角度去面對它，畢竟現在的時代已經無法單靠一招就打天下，跨領域又有勇氣面對未來的人才是永遠稀缺的，有能力的律師依然可以用法律替社會做很多事情！

HG

昱果法律會計聯合事務所

HUGO LAW & ACCOUNTING FIRM

昱果法律會計聯合事務所

- 臉書： https://reurl.cc/M723dX
- 電話：02-7742-1258
- E-mail：hugolf168@gmail.com

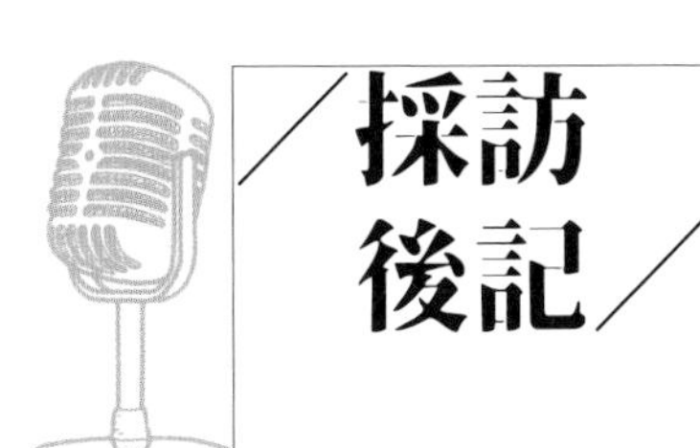

／採訪後記／

謝．晨．彥．博．士

不知道大家對於律師這個行業有何印象？大眾流行文化中出現的律師角色，總是讓人感到正義凜然，尤其在法庭上答辯的過程，更是令人看得熱血沸騰。但如果你覺得律師的工作就像電視、電影裡所呈現的那樣，恐怕要人失望了。

這一次我們實際走訪昱果法律會計聯合事務所，有機會和趙耀民律師好好地聊一聊，才真正認識到律師這個職業的本質。我們發現，其實除了在法庭上的答辯，事前的準備工作更加地重要，一場官司能否勝訴，取決於律師對整件案情的來龍去脈是否掌握的足夠透徹。

其實就像醫師問診一樣，隱瞞自己的身體狀況，醫師很難對症下藥。與律師諮詢時也是如此，當事人若願意將整體情況詳細告知律師，律師就能準確地掌握到案件的關鍵，讓勝訴的機會大幅提升。昱果法律會計聯合事務所，正是替當事人對症下藥的法律諮詢單位。

因為想看到客戶滿意的笑容

《專訪－禾邑空間設計 總監張財偉》

禾邑空間設計（HOYI DESIGN），在官網上「從生活中看見簡單的可貴；在簡約的哲學中，發現生活美學。」的宣言，同時也強調形隨機能的觀念，對他們而言，設計不是包裝而是一種美的落實，可以是在地化、生活化、甚至同時富含著台灣風格。

而公司的名片也十分地特別，設計的理念更是飽含巧思，「因為室內設計就是家！所以主要是由一間房子的空間感發想而成， 並融合上公司英文名稱 HOYI 的開頭「H」以及禾邑的「禾」字融入標誌設計內。除了以線段營造空間感以外， 更帶入木作常見的角料拼接概念於其中。」

「整體造型更以繪圖時必定使用的點、線、面構成， 傳達出完成一件室內設計作品所需的各項重要元素，裡面的中心思想，就是要讓人家知道，我們在室內設計的專業。」

設計就是讓空間說話

而 Gilles & Boissier 是設計總監－張財偉最鍾愛的設計師，擅長結合東西方元素，打造出優雅且協和的美感，「Gilles & Boissier 在紐約的幾間頂級餐廳都是讓人們津津樂道的作品， 他們的設計作品既敏銳、富於感情，又飽含創造力，同時更很好地展現了精緻優雅的品質。 」

這樣的風格，也體現在張總監對自我的要求上，在室內設計裡，如何妥善運用空間、安排流暢的動線規劃，這些都十分仰賴設計師的創造力以及經驗，因此必須要對空間有敏銳的感知能力，也要對業主的生活習慣和需求有深層的了解，整個過程即是透過對人的了解，進而產生空間規劃的概念，最終建構出人與空間最好的互動模式。

說到這裡，張總監也說，「禾邑沒有既定或特別擅長的風格，畢竟由風格來定義空間有時候太過直接，我們希望藉由整體的精神，以材料作為媒介來傳導出我們真正空間裡面的語彙，去呈現每個不同家裡面獨特的精神！」

發掘環境的特性，賦予空間豐富的生命力，就是禾邑的風格，讓每個作品都能有最好的呈現，「畢竟每個客戶都會有偏好的風格，雖然有些工作室會有特定的擅長領域，但對禾邑而言，就是根據業主的需求做個別的調整！」

細心生活體會處處靈感

而張總監說他的靈感多來自於大自然、旅遊、古蹟、攝影、運動等等，藉由不同的生活體驗去激發出不同的想法，此外隨身記下的靈感，也常會帶來意想不到的收穫，而如果真的找不到靈感，則是會先抽離掉現在的環境，透過空間、思維的改變，活化已經僵硬的大腦。

「有時候經常經過一家餐廳，但從來沒進去過，或許就可以踏進去看看，再用自己的方式描述一下這個餐廳的口味，經由各種方式呈現，可以透過影音、插畫、文字等等。」

因而，創意是需要發現、更需要訓練，沒有靈感的時候，就是等待的時機，在這個過程裡能做的就是學習，以增加思考的靈活性，激發大腦，避免持續的思維撞牆期，唯有如此，設計才會更加精進、更加出色。

溫暖而富有人性的合作模式

禾邑空間設計，由設計總監一手創立，目前公司的規模不大，但訓練卻十分紮實，對他們而言，公司更像是設計師之間偕同運作的平台，這裡沒有嚴格的階級制度，更多的是夥伴的互助精神，與共同的理念與目標。

「領導者和夥伴成員之間是要有人性化的，要能想其所想，憂其所憂，讓成員們感受到這個團隊是溫暖的、是充滿活力的！在禾邑沒有老闆，只有領導者和合作夥伴，沒有死板規章制度，只有共同的理念。」也是因為這樣，公司才能將許多優秀的人才聚集在一起，未來則希望持續擴展人際關係、以及提升專業技能。

目前公司也正積極進行多項專案，張總監也向我們列舉了幾個：像是「職棒球星世家」的老屋改造案、「科技新貴的度假住宅」讓高壓的工程師回到家就能享有度假的慵懶感、「新婚夫妻的幸福宅」結合收納與木頭元素，讓新婚夫妻在家就如山中小屋的閒適時光。禾邑的目標，就是努力做到讓客戶看到成品時，有種怦然心動的感覺！

用專業持續簡化溝通成本

接著，張總監拿起手邊的資料向我們解釋，其實設計師與客戶溝通間會出現的難題，多出於專業度的落差、與不信任所造成的衝突。「在沒有畫 3D 圖之前，每個客戶都很難溝通（笑），因為他們看不懂，剛開始嘗試用照片去解說，畢竟平面的線稿圖是比較難看懂。」

「而在磨練多年後，會用像是手繪、3D 圖等等去進行溝通，這些比起原本的線稿好懂很多，因此就會縮短很多溝通上的時間成本。」

但如果客戶提的設計要求很抽象的話，張總監則選擇站在客戶的角度思考，請對方提供實際風格照，並運用專業將各式的風格結合在一起，以達成顧客心中的理想「客戶喜歡的風格很常是多種的拼接，像是這個地方是北歐風、另外一個地方則是現代風，而如果他們直接找師傅施作，成品往往會很不協調，而設計師就是可以把這些都結合起來，達到協調的境界。」

人脈圈－設計師的自我經營

訪問的最後，張總監也向室內設計的新人、或是自由接案者一些建議，「主要是要加強業務行銷的部分，也要多多交朋友，其實我們這個行業就是多交朋友，除非你有很多的金源去打廣告，不然就是要靠人脈。」

「像是很多知名的電視節目，這些的費用都不低，如果要上節目的話，大概完成２、３個案子，才夠付廣告費用。」所以對於較沒有經驗的室內設計新手而言，開發案源就會是一開始主要的難點，要仰賴每一次的案件，認真且踏實地面對，用機會培養機會，以建立起好的聲譽，是室內設計領域裡起步的重要態度。

禾邑設計

- 官網：http://www.hoyi-design.com.tw/
- 臉書：https://www.facebook.com/HOYI.DESIGN/
- 電話：03-4623212
- E-mail：bevis@hoyi-design.com.tw

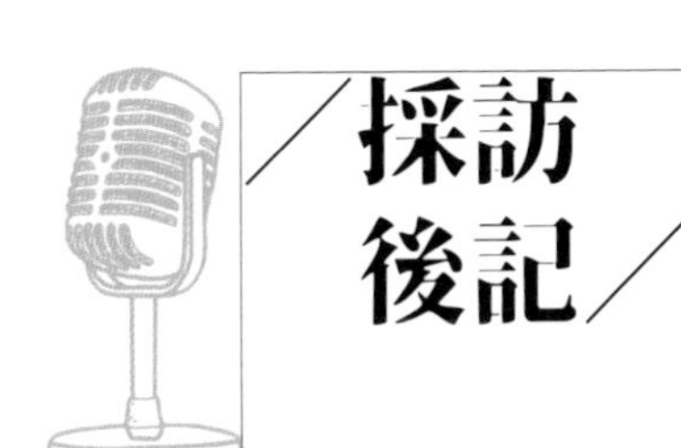

採訪後記

謝·晨·彥·博·士

服務業占台灣的 GDP 比重已超過了 6 成，並且還在逐年成長，這意味著台灣社會已經從製造業轉變為服務業的社會了。尤其在這個資訊發達的時代，許多行業的價格主導權已從廠商移轉到消費者手中，大家都是貨比三家不吃虧，也因此廠商開始打價格戰。但羊毛出在羊身上，價格折扣所換來的，卻是不穩定的品質。

禾邑空間設計總監張財偉，對於品質要求不容妥協，因為他希望最後交件時，看到的是客戶們滿意的笑容。因此，對於每一個案件，都是全心全力地去對待，而為了維持團隊的作業品質，也不貿然超接案件。就是希望每一件作品都能以最高品質呈獻給客戶。

張總監深信與其把行銷成本轉嫁到客戶身上，團隊的「專業」與「經驗」更能帶給客戶信任。在這樣的經營模式下，禾邑空間設計已在業界與客戶間建立了不可動搖的口碑。

凡殺不死我的那些，必使我更強大！

《專訪－歐洲投資銀行 總裁澤非》

現任職於歐洲投資銀行的澤非總裁，除了專業所散發出來的氣場外，更多了一層誠懇所帶來的溫度，身為香港人，他十分熟悉香港與大陸的市場，而同時也是個忙碌的空中飛人，總是在世界各州的飛行中就完成了一筆筆的交易。

過去的他，其實是從保險業務的紮實訓練開始做起，有一句話是這麼說的「如果你沒有業績壓力，你就沒有業務能力！」，剛出社會的第一份保險業務工作，就跟著魔鬼師父走過一段終身難忘的訓練過程，也建立起日後事業成就上不可或缺的基礎。

保險業後的華麗轉身－投資銀行

後來告別保險領域，轉而進入投行，「一開始也是不了解，因為華爾街的形象，覺得銀行家的生活應該很快樂，感覺這就是華爾街的瘋狂，之前在做保險的時候，覺得自己應該會懂一點！那之後進到投行後，就會有比較多想法！但後來我還是選擇從最初階開始做起。」

但出入陌生領域，讓過去的經驗只能重新洗牌，「因為自己真的很多東西不會，當時就有一個東西不小心做錯了，結果虧了 200 多萬港幣，之後就被罵到像是完全沒有底線的樣子，但我也只能忍過來啊！」

面臨工作中的第一個錯誤，一般人可能會將之視為挫折，但澤非並不以此為限，那次的失誤反而成為他給自己的激勵。「因為過去做保險的經驗，會什麼都想做到最好，我想要成為裡面最優秀的那位，所以雖然一開始虧了這麼多，但這是因為我不懂、不是我不能！」

懇切請教前輩經驗

「當時有機會看到很多大的老闆，他們會去各大洲見客戶，就想說自己到底有沒有這樣的機會？一直想說這些人到底是怎樣做到這些位置，而沒有因為壓力而退休的呢？」轉換新領域後，澤非選擇用態度決勝！看著投行裡面許多事業有成的前輩，心裡也漸漸建構起成功的未來藍圖，他就像是個新手，熱切地向著公司裡的前輩們投石問路。

於是澤非並不放過任何的學習機會，就連上廁所的時間都積極把握，或許就是因為這樣的態度，讓主管對他印象深刻，「跟著去上廁所，在廁所聊天！不要小看這個小動作（笑），其實你問的時候，就要知道對方喜歡聽什麼！你可以問他為什麼成功？這個問題對方通常一定會回答你。」

「和主管見面的時候，他們也很願意去想到，以前自己剛開始起步的時候，是怎樣一路爬起來，所以他也很願意講給你聽。」

內求的成功方程式

而與這麼多成功人士的對談後，澤非也歸納了一些他所認為的成功心法，在他眼中所謂成功的方程式其實都非常像，「第一個重點還是在於心態！心念與態度往往決定做事的格局，也牽涉到往後會成功或是失敗。」

這也是心理素質的重要性，在面對壓力或是挫折的時候，必須仰賴自我回復力，從中去培養堅韌的心性，「另外如要說的話，成功的方程式就是初心，也就是你為什麼要去做？怎麼去策畫？那其實就要找到對的人，找互補的人，運用不同的思維後，就會有不同的思考！」

「此外，就是事情的輕重緩急，每個人都會有不同的衡量標準，像是有些東西你不做那會怎樣嗎？如果不做真的會死的話，那就把那些做好就好！」最後澤非也強調人脈的重要，透過發散的人際關係，激發自己對不同觀點的敏感度，或許就會有新的機會出現在當中，因此千萬不要封閉自己，要想辦法多出去和各式各樣的人接觸。

培養替老闆分憂的能力

接著，澤非提到一個方法，這個原則更是讓他從以前就秉持到現在，進而讓自己的職涯穩健成長！「我很喜歡和老闆吃午餐，吃飯的過程也可以知道老闆最近在忙甚麼，要去體察老闆的想法，最大化自己的效力，替老闆分憂，其實真的很幸運啊，這十幾年會往上爬這大概是當中很重要的原因。」

「做生意要做到讓客戶記得你，也要讓老闆記得你，第一、就是不要造成老闆麻煩；第二、就是要知道老闆現在在忙什麼，那老闆之後有問題都會記得要找你。因而最不好的想法就是當可有可無的人！」

不要僅從自己的角度出發，在工作崗位上，應該透過各層面的自我經營，慢慢建立起自己的名聲，「老闆我知道你在做這個項目，那交給我吧，每個禮拜我給你匯報，我知道你壓力很大，那你交給我吧，我相信我自己有這樣的能力。」

深度學習應對快速變遷

訪問的尾聲，澤非也提醒我們，因為現在變遷的速度實在太快，未來的產業危機將會以過去無法想像的速度發生，「以前的可能花個 20 年，才會看到產業危機，因為那時的產業周期很長，但是現在的時代實在太快了，有些事業的週期非常的短，那在這些潮流當中，你是要在裡面轉來轉去？或是找到自己的空間是可以去生存的？我覺得這些就要很小心很注意。」

因應人工智慧的興起趨勢，將會改變未來很多產業的運作模式，需仰賴大量資料、重複處理性質高的工作會逐漸被取代，澤非認為這對於投資銀行也是無可避免。

「其實 AI 對投行的變革，有好的也有壞的：首先是投資策略的轉變會很大，我們不用像過去一樣花那麼多時間去整理資料，另外，因為有越來越多東西會自動化，也有部分的人才會因此流失。面對這樣的改變，未來會更加強客服服務的層面，在人與人互動的過程中去強化，減去許多資料的彙整時間，可以想更好的方案給客戶！」

因此，不要讓自己成為時代浪潮下的犧牲者，而是要成為抓住風浪的人、抑或是緊追著潮流的人，長江後浪總是推著前浪，在後面追趕的人往往最辛苦！所以如果能透過不斷地學習去因應未來的趨勢，也是讓自己的未來能保有更多的選擇權，目的不是為了什麼，而是可以讓未來的自己能有更多餘裕去選擇自己所想要的。

最後，澤非更鼓勵創業者，要有足夠的好奇心，去學東西、看東西，看現在的時代到底發生什麼事情？不用做到什麼都知道，但是有疑問時要記得找到對的人去問！「人生中反應要很快、敏銳、堅持、不要懶，才能一路開創！」

澤非

- 網址：https://pse.is/PDLHG

／採訪後記／

謝．晨．彥．博．士

一個人的心態，決定了你看待事物的高度。在眾多成功的創業者中，我們會看到大家都具備相同的特質。首先，大家的心態，絕對不會是把自己手中的事情完成就好，而是會用更高的角度去做全面性的思考。思考，如何讓所有事情運作得更完美。思考，如果是從客戶的立場，會如何看待這些事情。思考，這些項目還有哪些延伸的可能性。思考再思考，透過腦中不斷與自我對話，與同仁討論聽取不同的想法，然後繼續思考，並完成每一項決策。

另一個共通特質，就是開放的學習心態。在和許多企業主或是位高權重的高階主管們接觸時，你會發現大家不會因為顧及顏面，而在自己不擅長的領域裝模作樣。對於他們不了解的事物，只要是必要的，他們都會抱持開放的態度去學習。

最後，當然還是初心。除了擁有堅定的意志，還要有明確的目標，人們才知道該往何處前進。

別創造害怕，而逃避嘗試

《專訪－北門窩泊旅 營運總監 Janet》

北門窩泊旅（Beimen WOW Poshtel），有別於一般型態的青年旅館，北門窩的 Poshtel 是一種結合 posh（豪華）、與 hostel（青年旅舍），而形成的 Poshtel，強調的是一種更有品味、精緻的氛圍，就算是一般的背包客，也可以在這裡享受到一晚值得的入住體驗。

今日，我們在充滿設計感、人文溫度的北門窩泊旅（Beimen WOW Poshtel）中，採訪到營運總監 Janet，向我們介紹北門窩的設計巧思，以及她的經營理念。

絕佳 Stay 體驗，請找北門窩

「老旅館乘著時間的河輕輕，流經無數旅人的台北記憶。

我們將歲月痕跡熬成湯，一口吞下徹底洗禮身心，換一個新生命。」其實北門窩的前身，就是一棟旅館：「美台旅社」，而過去的記憶，目前也透過彩繪紀錄在櫃台前方的牆面上，形成新舊交映的傳承感，讓來到這裡的人，有機會認識到這棟老建築的生命軌跡。

「因為老闆喜歡老房子，所以就接下這裡了，不覺得很有特色嗎？你看，外面全部都是批發的商店，離迪化街、寧夏夜市也很近，再加上我們自己是獨立的，也是比較安靜的社區，所以其實蠻多長住的客人。」

Janet 也說，北門窩其實就是源自於一個家的概念，「窩」可以是窩心，也可以是將人聚集起來的地方，就是這樣的一個發想概念，希望提供給入住的旅人們，一種家的溫暖感覺，讓大家就像回到自己的家一般，在老屋中品味時光、也體會人文。

多方行銷以拓展知名度

成立於 2016 年的北門窩，與不要鬧工作室（Stop Kiddin' Studio）和許多 youtuber 合作過！ Janet 說，目前正積極推廣社群行銷，採用十分開放的態度，希望藉由媒體、社群建立起來的聲量，讓更多人認識北門窩；另外，不管是公司開會空間、影片拍攝場景租賃、甚至是旅客常住規劃等等，北門窩都有提供，因而甚至也有過新聞台、電視節目來此取景。

同時，北門窩內部也會定期舉辦活動、展覽，甚至結合社區周圍的鄰居，來加強活動的凝聚力，以吸引更多人潮「我們也希望和文創設計、藝術家等多多合作，合作對象不侷限於台灣人。我們自己也會辦很多活動，不只是店內客人，附近的居民、旅客我們也會一起邀請，像是現在我們有導覽、烤肉等活動，漸漸有越來越多人參與了！」

轉化心境正視經營疑難

然而，其實對於 Janet 而言，會經營這家店，是她從來都沒有想過的挑戰，但她卻從創立之初直到現在，都肩負著北門窩的營運責任，「因為一開始我算是新手，會面臨到很多和股東溝通的問題，而我也覺得因為我自己是參與者，就會有自己想要堅持的地方，再加上當時年輕，初生之犢不畏虎，所以會和老闆有比較多意見上的磨合。」

這樣的過程偶爾會讓她覺得有點委屈，甚至想著是否真的要轉換領域？想著想著，Janet 說她去問了土地公，在得到了堅持繼續做下去的答案後，於是便開始轉換自己的心念，也才漸漸了解老闆的心情，逐步化解掉溝通的層層障礙，事情才開始慢慢有了轉機，而現在的她，更是一個人就帶領起整個團隊的運作。

換位思考後的做中學

但在帶領團隊之後，如何溝通就是很重要的一件事情，而 Janet 選擇用以身作則的方式帶領團隊，透過換位思考，了解每一位員工的問題、或是工作狀況，除了讓員工信服之外，也可以掌握團隊運作的狀況。「我會和他們一起做同樣的事情，像以前自己也常想老闆為甚麼不懂我們？所以換位思考就很重要，現在會試著想：員工是需要學習？還是工作對他來說有困難呢？」

「你要真的經歷過、摸透和弄懂每一件事，這樣帶領團隊，同事們便會知道你就是一個典範！」另外，Janet 也說了，她知道夥伴們來到這裡各自懷著不同的理想，可能是為了要打工留學、或是為了累積能量，這都沒有關係，對於加入的夥伴，Janet 都希望大家就算沒有在北門窩永遠待下去，北門窩的經歷也能幫助他們在未來能有很好的發展。

而經歷了北門窩從零開始的整個過程，從最初什麼都不會，直到要在 25 歲時帶領整個團隊，Janet 更坦言，要讓自己在陌生領域從頭開始的最大原因，就是將自己當成一張白紙，一直不停地學習！

「就是要當作自己什麼都不會，像是我之前每個月就去找訂房網站的業務，一直請教對方是不是有什麼方法可以提高我們的住房率等等的，這些經驗就會一直累積下來。」

但是我們也好奇，在商旅產業整體狀況下滑之下，北門窩要如何面臨高競爭的現況呢？「我們就是專注做好每個階段要做的事情，像是我們和不要鬧合作，讓他們當作是拍片的宿舍、此外東森也向我們借過場地去拍攝。其實就是不要設限！將自己做好，累積越多的時候，你會做出自己的特色。」

「我們的日本客人很多，意外的是荷蘭、德國的客人也很多，我有遇過很多客人說是之前朋友來過所以推薦給他們的！所以就是在確立好自己的定位後，堅持下去！」堅持走自己的路其實就是一種最好的區隔，以因應越來越多新的青旅、商旅的崛起。

別創造害怕，而逃避嘗試

在訪問的最後，Janet 也想給一些迷茫的年輕人一些信心喊話：「很常會遇到那些不知道自己要什麼的人，我都會鼓勵他們每件事情都去嘗試！如果有想做的事情，就現階段去做，其實從來就沒有現階段不行做的事！」

「但每一個嘗試都應該要有目的，你一定會和很多人比較，畢竟這是很競爭的社會，而每個國家其實也就是這樣，沒有哪裡一定特別好，哪裡特別差，畢竟你要有怎樣的報酬，就一定要有怎樣的付出！」這或許也是給現在迷茫的人一記提醒，畢竟所有的嘗試都必須要從踏出第一步開始，路才會越走越清楚，目標也才會越來越近。

北門窩泊旅

- 官網：http://www.wowposhtel.com/tw/index
- 臉書：https://www.facebook.com/wowposhtel
- 電話：02-2552-5068
- E-mail：beimenwow@gmail.com

／採訪後記／

謝・晨・彥・博・士

北門窩泊伯旅營運總監 Janet，她從小就被父母要求任何事情都要朝著追求完美為目標來努力，也因為在這樣的養成環境，令她養成對自我高度要求的態度。正是因為對自我的督促，年紀輕輕的她，便獲得股東們的青睞，讓她接手管理一間青年旅館。

每個人的大學時期都有自己多彩多姿的生活，有人參加系學會、有些人專注在社團，當然也有人已經開始認真規劃自己的將來。獨立性強的 Janet 正是在這段黃金時期，開始思考自己未來的出路。喜歡與人交流、熱愛異國文化的研究，驅動她走向國外。

阿拉伯語文學系畢業的 Janet，無論是過去擔任的國外外商業務，還是現在的旅館管理，都非她本科專業。但認真學習的她，無論在哪一個職務上，她的表現都獲得周遭的讚揚。我們也以此勉勵還在猶豫的讀者們，只要願意開始並認真學習，沒有什麼是能夠阻擋你的。

離舒適圈多遠，離成功就有多近

《專訪－高鉅科技 總經理陳柏江》

在虛擬交易環境越來越多的情況下，金流管理就是很重要的領域，其實金流指的是企業收款的方式，如果能有妥善的管理，便能便捷企業的運作、加強交易安全。而第四方支付就是因應這樣的需求，搭建起企業、銀行與消費者之間的橋樑，提供企業穩定的收款系統，減少對帳的麻煩，完善整個交易流程。

今日，我們採訪到台灣第一家的第四方支付業者－高鉅科技的陳柏江總經理，在金流產業擁有非常豐富的經驗，《第三方支付的真相》一書，就是出自陳總經理之手，讓對電商營運、電子支付、金流等領域有興趣的讀者，都能透過翻閱這本書一窺產業堂奧。

安全又放心的第四方支付

第四方支付，指的是將所有的支付聚合在同一個地方，讓店家不用多花時間去統合不同的支付系統、也能讓消費者以單一的程序就完成消費，這樣的技術，陳總經理其實早在十年前就已預見，只是現在的趨勢，更凸顯出這個觀點的前瞻性。

對於陳總經理而言，他認為第四方支付，應該就像是水一般的存在，是生活中的重要介質，但同時又隱形到令人安心。「支付對我來講就是水！喝水其實我們不太在意水從哪裡取得，畢竟隨手就有；買東西刷卡的話，我們也不會特別在意刷卡機的廠牌，因而支付必須是交易環境裡最重要的一個部分，但卻是最隱形的部分，這裡的隱形不是說不被辨識，而是用最簡單的方式來做。」

「當客戶有需求時只要來找我們，不管是要和哪一家銀行合作，或是轉換手續等等，就算是比較冷門的合作需求，我們也都會盡量幫客戶做到，希望達到：『我們就是客戶公司裡的一部分，就是部門裡其中的一個金流小組！』這樣的目標。」

此外，因為陳總經理 10 多年的豐富業界經驗，公司的業務也針對了實務的需求，有更細緻的劃分，一切都是因為了解，而能從客戶經營的角度出發，讓店家輕鬆就能享受到第四方支付的便利性，以減輕營運成本。

「所以會有儲值、票券、核銷、訂房管理、甚至客製化需求等等，因為我們是採用開放式平台做整合的概念，也就不會有複雜的系統、或是用昂貴的價格去綁住客戶，而是想做到就算沒有移轉成本，客戶還會想留在我們身邊。」目前偏向專案管理的方式，保障客戶在建置初期、直至後續運作階段的種種問題，所以不管在任何時刻，高鉅都是客戶最堅實的後盾。

開放心胸直面正向競爭

而從過去走到現在，高鉅科技依然與客戶站在同一陣線，堅持創新以貼合客戶的需求「如何在每一段時間，去調整自己的系統、去聽客戶的需求，進而將它變成一個標準化的服務，就是我們要持續去進步的。」

說到這裡，陳總經理認為，創業過程中開放的心胸往往會帶來意想不到的機會，產業雖然競爭，但彼此一定會有重疊或是交錯的業務，因而希望利用互補的方式，讓產業一起進步，這也是當初陳總經理，在比較台灣與中國的創業環境後，所發現的落差，因此他也鼓勵大家，要以更開放的心胸，去看待自己所處的產業。

高鉅科技也是在採用開放的作法後，創造出許多原先沒有料想到的產業優勢，「目前的目標，是將後端全部開放，前端的部分則越來越簡單，就是用一個開放性的平台來做這件事情。」陳總經理提及，像是台灣的喬睿科技（Cherri Tech, Inc.）、美國的獨角獸公司 Stripe 也都是類似的運作模式。

「我相信我們做了很多利他的東西，台灣在做交易的大概只有我們會寫文章，很多人也是因為這樣才知道有這些東西！這其實也是我在過程中的轉換，認真思考過後，發現產業本來就是會彼此競合！因而我想要去加強更多合作的可能。」在他眼中，競爭反而是創造前進的優勢，擁有開放的心胸、願意合作的心態，通常更會導向雙贏的結果！

專注問題而非專注恐懼

「我常會跟我的同事分享，台灣就是這樣的人口，不需要擔心競爭，畢竟你的對手隨時都會出現！如果一直害怕競爭的話，反而會製造出自己的恐慌；相反的是要專注在自己的專業上，去思考到底為甚麼會流失客戶？了解到客戶選擇離開的原因才是重要的。」因而選擇將著力點轉移至最基礎的層面，學習從客戶的回饋中得到修正的路徑，這才是讓一家公司一直保有競爭力的重點。

「其實客戶本身就是會流動的，所以就是要開放，而這樣的作法所得到的業績，其實比自己開發的業績還要多！因而利他這件事情，最後是會回到利己。」陳總經理也說，現在很多的客戶，也是透過別人的介紹而來，公司不用費心去做太多的開發，已經有一定的業務基礎了。

而談到未來公司的經營方向，陳總經理認為，因為支付其實沒有地點限制，所以會希望能做到讓其他縣市的人願意來台中發展，並且也為這個土地做一些事情！另外，則是會繼續加強業務和行銷的部分，讓更多人有機會了解第四方支付、或是高鉅科技。

以社會關懷落實企業責任

另外，陳總經理也提及，公司目前正積極地將社會責任融入支付的業務中，像是【MYPAY X 企業 CSR】就是希望以第四方付的平台，提供社福團體更多行銷、推廣的機會，「我們在支付頁面也有一個愛心零錢箱，其實一般人在購物時通常會抱著一個很愉快的心情，但透過這樣子的設計，同時讓大家也有機會去看到，這社會其實還是有很多需要幫助的人！我們就是希望能夠協助沒有太多資源宣傳的慈善團體。」

「這部分不會額外收費，只會收必要的成本費而已，而且我們希望讓每個團體都有相等的曝光機會，就算是世界展望會，我們也不會比較偏重；另外，我們也會建議店家不要指定團體，讓每個機構都能輪流出現。」

雖然這樣的制度成立才約莫兩年，但陳總經理也很欣慰地說，真的有人在看到後，就會選擇以這樣的方式捐款，所以台灣人真的也是很善良，大家都蠻有愛心地想去替這個社會做一個貢獻。

高鉅科技

- 官網：https://www.mypay.com.tw/
- 臉書：https://www.facebook.com/mypay.tw/
- 電話：04-2258-8683
- E-mail：marketing@mypay.tw

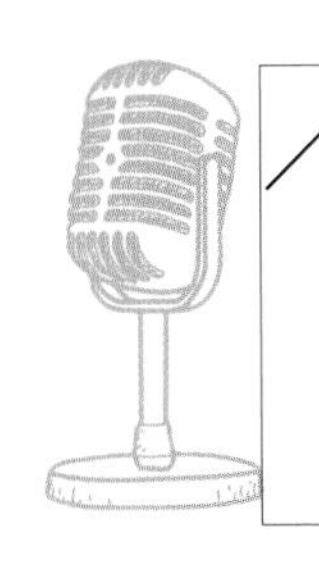

／採訪後記／

謝・晨・彥・博・士

行動支付這些年也在台灣普及開來，但對商家來說，為了因應客戶的需求，就得盡可能地串聯多個支付平台，但是也連帶造成營運成本的提升，以及系統管理的複雜化。原本只是單純的收付款，現在卻變得比以往要來得複雜。

高踞科技總經理陳柏江先生在十多年前看到了這一項市場趨勢，於是便開始打造金流整合平台的第四方支付「MYPAY」。在電商崛起的現在，線上支付已成了消費者與商家必然會使用的支付管道。為了讓消費這個行為回歸單純，陳總為商家量身訂做金流整合「你需要的，讓 MYPAY 來幫你做。」

MYPAY 的市場定位在於各金流平台之間的互補整合，因此在金流領域可說是具有獨占地位，不僅沒有壓縮到金流平台的市場，反而成為商家與金流平台之間的橋樑，獲得雙方深厚的青睞。

目標成為訂書平台的大聯大

《專訪－輔宏 (iStuNet) 董事長徐偉翔
總經理曾冠皓》

由一群輔大夥伴所創建的輔宏，品牌名稱 iStuNet，是取自 is taiwan university network，目前已與超過 20 間學校合作，超過 90 個科系，連結工科、商科、醫科的學生，形成一個綜合性的平台，幫助大學生在學期間的職涯規劃、與協助未來的輔導創業等等。

遇到 BUG 就 DEBUG 的工科腦

今日，我們訪問到輔宏（iStuNet）的總經理曾冠皓（以下簡稱：Kevin）、與董事長徐偉翔，一動一靜的他們，是事業上互補的好夥伴，在公司裡面，Kevin 往往是負責往前衝的那位；而徐偉翔就是在幕後的操盤手，掌握著公司的一切方向。

「因為偉翔的經歷比較多，我們有不懂的都會互相討論，之後就會有一個方向，然後就帶領同事們往那裏去走！」畢業於電機系的 Kevin，笑說自己就是一個工科腦，遇到 BUG 就想 DEBUG，於是就是一直在 DEBUG 的過程中不斷地嘗試與調整，同時也透過很多的書自學管理和商業的知識。

「大專院校的師生是我們的資源，協助企業在大專院校裡塑造品牌形象、跟執行社會企業責任是我們的服務，未來我們將往科技業科技人才、行銷人才的培育前進，並以 iStuNet 為核心將我們的理念傳達給系學會及學生，並邀請他們一同參與。」徐偉翔說。

3年內的業務翻倍成長術

從創立到現在約莫 3 年的時間，目前公司的業務都是以每年 2 倍 ~3 倍的速度在高速成長，然而這樣的成績，還僅是集中北部業務的成果，對於中、南部的大專院校，還有很大的開發空間，因而目前也積極在各個學校拓展據點，讓更多學校、或是老師知道輔宏。

「因為組織非常扁平，公司將每位員工都當成自己的夥伴，有什麼想法、任何想要改變的地方，馬上就能提出來討論！對於同事們來說，我們從不藏私不怕分享經驗，也不怕員工越來越強有朝一日取代我們，因為我們也每天在成長。」如此開放的風氣，也讓輔宏有十足的團隊向心力。

此外，Kevin 也說訂書業務在推廣之初，曾遭遇到不少關卡，因為輔宏想要將上游代理商、平台、系學會都串聯起來，但書商偏向傳統產業，有時會比較保守而抗拒改變，此時就需要長時間的溝通與理解，但在系統建置完成後，已經大幅減少了往來間的溝通成本，與雙方也都有良好，合作互信的關係。

「透過一連串的溝通、系統開發後，現在代理商只要登入系統，就能夠自行下載訂單，任何問題都可以直接在系統訂單上備註，除非有什麼緊急情況，否則都不用再電話及 mail 溝通，讓代理商大大減少過往浪費的人力溝通成本，造就雙贏的局面」；另外，系學會在發書時也可以直接使用線上簽收系統，不再需要紙本簽收。」至今，輔宏已經擁有逾 6 萬的大學學生會員使用這項服務。

黑客松的學用媒合平台

而輔宏除了專職訂書業務外，另也會協助系學會辦理各式活動，諸如就業輔導、創創黑客松、講座以及多元主題的工作坊等等，是系學會與企業的最佳夥伴。

「像是協助就業輔導，其實透過學校發公告的話，觸及率不一定會比較高，因為學生不見得會注意到，所以就是我們來號召，像是微軟或是亞馬遜要推廣的課程，我們會針對有需求的科系，在學校幫他們辦工作坊，就能給準備進入社會和企業的學生，一個很好橋樑去接觸他想要的資訊！」

目前的 IStuMate 創創黑客松，已經是全台性的比賽，北、中、南各地都有據點，更曾成功幫助過兩支隊伍成立新創公司，此外也媒合了數十名的企業實習生！因為輔宏對於學生的掌握度高，能明確到學校、科系及年級，可以精準地鎖定給企業，因此這樣的活動，在企業的眼中也越來越有價值。

「從 IStuMate 創創黑客松第一屆我們發現，想創業的學生不知道該怎麼尋找不同領域的夥伴、更不知道如何尋找資源；想就業的學生不知道需要具備哪些能力，因而幫助學生就業、創業就變成我們的理念，開始與企業拜訪了解人才需求，再結合學校與政府的資源，並且透過比賽的設計來幫助學生媒合。」

打開心，路才會越來越清楚

說到這裡，Kevin 也提及，如果有意願要進入輔宏的年輕人，他認為態度重於一切，尤其是有熱情、願意學習的心更是關鍵「對工作要有熱忱，要喜歡和人接觸，這是找人很重要的，要和學生互動，要有年輕的心，因為我們公司發展的腳步是很緊湊的，希望他們勇於挑戰，要肯學，個性很重要，其他的其實後面都可以補強。」

「很多學生會覺得大學沒有用，不知道要幹麻！像我是念到研究所，很多人會問我會不會後悔？這樣反而浪費了創業的時間，但是我覺得不會，因為它展現了我的專業度。」Kevin 認為，比起先觀望薪資，應該是要先尋找到適合的工作，讓興趣與能力相互結合後，這樣工作起來才會越來越有動力。

最後董事長徐偉翔，也有一些要鼓勵大家的話。「打開心對外不要排斥，凡事多看多學習！很多時候先不要預設我去做了一定要得到什麼，因為往往很多機會都是從不經意中發現或遇見的，所以就是打開心，去接觸不同的事情，就會找到自己的方向和機會。」

將社會責任放在公司的開頭

訪問的最後，Kevin 再次強調了社會企業責任的重要性，對於要創業的人來說，利他並不是成功之後的選擇，而是一開始就必須具備的目標，「我覺得創業的過程非常艱辛，實在遇到太多貴人和資源的幫忙。所以我們總是在想要如何取之於社會回饋於社會。要做對社會有意義的事情，就像是阿里巴巴馬雲說過一句話：『企業的社會責任從公司開立之後就一定要做了。』」

iStuNet 輔宏

· 官網：http://istunet.com/
· 電話：02-2718-8559
· E-mail：service@istunet.com

／採訪後記／

謝．晨．彥．博．士

「除了周全的計畫，還需要確實執行的行動力。」iStuNet 輔宏總經理曾冠皓 (Kevin)，在他周遭的人們，都是被他的這項特質所深深吸引。Kevin 的行動力，獲得了一起創業合夥人們的認同與支持，促成了 iStuNet 輔宏股份有限公司的成立。而這份行動力，轉化為公司的業績，不僅令業內的傳統書籍代理商們刮目相看，積極擴大合作，也讓 Kevin 家人們原本反對的態度轉變為認同。

「內事不決問張昭，外事不決問周瑜」，形容支撐孫吳的兩位棟樑，安內有張昭，對外有周瑜。如果說帶著 iStuNet 輔宏在外頭衝的 Kevin 像「周瑜」的話。那麼負責整合平台資源的董事長徐偉翔，便是這家公司的「張昭」了。創辦人之一的徐董，是 Kevin 的大學學長，因為較早進入業界，擁有豐富的企業經驗，除了經常給予 Kevin 在經營上的建議，更運用他自己長年在投資領域所掌握的資源與人脈，為公司奠定發展的基礎。

用熱情照亮生命的光

《專訪－美學生活藝術教室 創辦人賴美渝》

用熱情照亮生命的光

「生命就是要有熱情，要做自己喜歡的事情，因此會開美學生活藝術教室最主要的原因就是要向各位分享，藝術和美學的美好！」美學生活藝術教室的賴美渝老師如是說到，最初就是懷抱著分享的心情，因為畫畫所附隨而來的歡樂，想將之散播出去。

說到會取名為「美學生活」的原因，賴老師說，生活其實是一體兩面的，會有辛苦的地方、也會有好玩的地方，而很多美好的事物，往往就停留在那些你從來沒有接觸過的事物，就像是坐在咖啡廳一個人畫畫，也會帶給你生活中很多樂趣！生活其實是過出來的，在細碎的日子裡，還是能體會到幸福。

而工作室的創立過程，也經歷過辛苦的搬遷，當中更有令她印象深刻的事情，「在與銀行互動的過程，才發現原來我們這樣的行業，在銀行的認知裡面，不算有正當工作，但是也運氣很好，遇到一個銀行經理願意幫忙，就用寫報告的方式通過。」

於是，便順利地讓工作室開張，幸運地是，目前班級裡面的學員都很優秀，讓賴老師感到很窩心，似乎印證了當初開工作室的初心，「像是目前班級的班長們都很優秀，都會把班級經營得很好，其實我上禮拜出國，就和同學請假，而就算沒有上課，他們也還是一起約去咖啡廳畫畫，還拍給我說：『老師，我們有自主學習！』」

說到這，賴老師很欣慰地說，這就是她對成人教育的期許，讓學生們養成自我學習、與享受學習的習慣，「不是說老師教什麼你就畫什麼，我希望他們養成嘗試新東西、交到新朋友的經驗，可以一起喝咖啡、一起去小旅行！目前為止學生的回饋都非常正面。」

工作室兼社大的美術教學

而除了工作室的教學外，賴老師在北部的各個社大也都有豐富的教學經驗，在裏頭會遇到形形色色的同學，「我在社大教學還蠻開心的，唯一覺得比較有壓力的是，有些社大的學生很認真，會問到關於審美觀與藝術價值的問題，像是梵谷的畫為什麼可以賣那麼貴？是不是要死之後才能賣這麼多錢？做為一個美術老師要怎樣回答呢（笑）？」但這也顯現出這些學生真的非常認真地投入課堂，所以才會將心中對於藝術的疑問全部發出，因而賴老師有時也覺得學生真的很可愛。

而賴老師的教學方式，則是受惠於她理工背景的邏輯訓練，因此會把較抽象或式理論性的東西系統化，也因為是成人教育的關係，會偏向進行類比性的教學，這樣的方式也會比較好激發出學習的興趣，甚至是教學相長的成效，這也是當老師的一個很重要的樂趣，會在學生中發現到各種各樣不同的學習樣貌。

賴老師笑著說，自己在社大的發展歷程算是很好，「信義、南港是從學生不多的時期就開始經營，後來去文山還有中正，很幸運地都有順利開起來，後來再去大安、松山、新北市新店區公所，也有去過台北市藝文推廣處。」

其實這當中並沒有太多的宣傳，只有透過社群媒體做簡單的推送，重點是學生都很喜歡賴老師，所以只要有開課就會互相宣傳或是推薦，所以一直都不用太擔心學生數量的問題，這方面一直是蠻穩定的。「其實我的學生很好玩！像是因為南港太遠，就停開了，學生只好辛苦地到大安上課，輾轉再到松山，最後學生跟我說：『老師，為了你，我台北市的社大幾乎都有學籍！』」

接著，賴老師便向我們介紹社大的上課內容，「每個學期都會有，像是光影、透視等課程，上課的畫風就會比較多樣化一點，那因為我自己是唸生物的，所以對融合生態的主題我會比較有興趣。」其實上老師的課是很輕鬆的，不管是什麼程度的學員，老師都會給你最好的照顧。

「所以我教他們的就是貼近生活，畫的內容也是很自由的！在教學上會和學生溝通，選出他們想要畫的東西，我再協助他們，像是有些人很喜歡攝影，我就請他們帶作品來畫，教學就是跟著學生的需求，我提供我的學習技巧去支持他們，達到他們要的學習成果，如果他們沒有明確的學習目標，我才會給他們一點指引。」

另外，賴老師也說，自己在畫畫上面，不像傳統科班生需要固守自己的風格或流派，做自己喜歡的風格，可以隨時切換、就很輕鬆自在「我沒有固定的風格，但當初我在和設計公司合作時，我也曾一度質疑自己這樣是不是不好，畢竟如果有明確的設計風格，就會有明確的市場，但是經由設計公司給我的回饋，他們其實也很需要多元的風格，這樣公司就不用找很多插畫家，我自己就可以一個人全包了！」對於賴老師而言，因為她沒有要走傳統美術，所以不被框架所束縛，比較符合她的個性。

熱愛生活至死不渝

訪問的最後，賴老師鼓勵大家要用正向的態度去面對改變，改變的開頭或許會讓人畏懼，但只要再等一下，就會出現轉機「我的名字是賴美渝，渝就是變化，我生活的態度，就是不怕改變，其實我還蠻期待改變的，對我來說改變是一件很快樂的事情。」

「而且要勇敢，不要害怕踏入不熟悉的領域，我們其實都知道自己有選擇的能力，那要當上班族或是自由接案者，真的都可以。另外，就是有恃無恐，你要知道自己的能力到哪裡，然後去嘗試，如果發現不足的地方就是去填補起來，要隨時回頭去檢視。」

另外，最要感謝的還是自己的外婆，「她都會給我很正向的想法！已經活到 93 歲了，她還是很常跟我說要活就要動，而且很喜歡接觸新事物、新朋友，不會執著於過往的事情，整個人很有活力，所以活得很開心。」因而，賴老師也希望將這樣的精神傳遞給大家。

藝術生活美學

· 臉書：https://www.facebook.com/rosita.artlife/

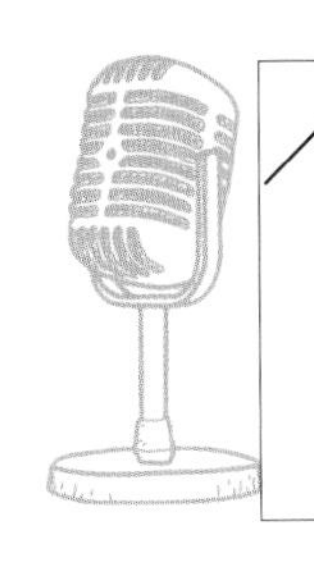

採訪後記

謝・晨・彥・博・士

智慧型手機與社群媒體的結合，真的為我們的生活帶來不少便利，現在我們都能透過社群媒體，追蹤到好友在何處渡假、吃了哪些好吃的東西。不過，是否會發現有時候旅遊行程一趟，便流於形式，我們真的有靜下心來好好享受這個旅程嗎？

現在我們不經意會在觀光景點看到一些人一手拿著小手冊，另一手拿著畫筆，在他的手冊上面作畫，這是近年很流行的「旅遊速寫」。用畫筆取代手中的相機，將你當時所看到的、感受到的一切人事物，將其記錄在約 B6 的手冊裡。當你整本畫下來，就是一本本的旅遊日誌。

除了旅遊以外，其實生活中的許多事物，也可以透過繪畫來體現當下的感受。如果上去逛逛老師的粉絲頁，會發現學員們都相當大方地分享自己各種題材的作品。正是在賴美渝老師細心的教學下，許多學員在繪畫中找到樂趣，能夠細細品味生活中每一件美好的事物。

國家圖書館出版品預行編目資料

創富CEO／謝晨彥著. --初版.--高雄市：豐彥財經，2020.4
面； 公分
ISBN 978-986-96923-1-1（平裝）
1.企業領導 2.職場成功法
494.21 109002505

創富CEO

作　　者　謝晨彥
文字編輯　邱宜婷
發 行 人　豐彥財經
出　　版　豐彥財經股份有限公司
高雄市苓雅區四維三路80號4樓之1
電話：（07）3316578
設計編印　白象文化事業有限公司
專案主編：林孟侃　經紀人：徐錦淳
經銷代理　白象文化事業有限公司
412台中市大里區科技路1號8樓之2（台中軟體園區）
出版專線：（04）2496-5995　傳真：（04）2496-9901
401台中市東區和平街228巷44號（經銷部）
購書專線：（04）2220-8589　傳真：（04）2220-8505
印　　刷　基盛印刷工場
初版一刷　2020年4月
定　　價　580元